6e Cahier de français

Grammaire – Orthographe – Conjugaison
Vocabulaire – Expression

Annie Lomné

Professeur certifiée de lettres classiques (92)

Nom   Martineau – Casau

Prénom   Lucie

Classe   6 ^eC

Sommaire

J'IDENTIFIE LE GROUPE NOMINAL ET J'ACCORDE LES MOTS QUI LE COMPOSENT

1 Les noms.. p. 4
2 Les déterminants... p. 6
3 Les adjectifs qualificatifs.. p. 8
    Chacun son rythme.. p. 10
4 Les pronoms... p. 12
5 Le groupe nominal.. p. 14
    Chacun son rythme.. p. 16
    MÉTHODE 1 Comment distinguer un pronom d'un déterminant ?....... p. 18
6 Le féminin des noms et des adjectifs............................ p. 20
7 Le pluriel des noms et des adjectifs.............................. p. 22
    Chacun son rythme.. p. 24
8 **Bilan** Je sais accorder les mots à l'intérieur du groupe nominal.......... p. 26

JE DISTINGUE LES FORMES VERBALES ET JE CONNAIS LEURS EMPLOIS DANS UN RÉCIT

9 Les verbes.. p. 28
10 L'analyse d'un verbe conjugué....................................... p. 30
    Chacun son rythme.. p. 32
11 Le présent de l'indicatif et de l'impératif (1er groupe)....... p. 34
12 Le présent de l'indicatif et de l'impératif (2e et 3e groupes)....... p. 36
13 L'emploi du présent dans un récit................................. p. 38
    Chacun son rythme.. p. 40
14 L'imparfait de l'indicatif.. p. 42
15 Le passé simple de l'indicatif.. p. 44
16 L'emploi du passé simple et de l'imparfait dans un récit....... p. 46
    Chacun son rythme.. p. 48
17 Le futur de l'indicatif et le présent du conditionnel........ p. 50
18 Les temps composés de l'indicatif............................... p. 52
19 L'emploi du futur et du passé composé dans un récit....... p. 54
    Chacun son rythme.. p. 56
20 Les homophones de *être*... p. 58
21 Les homophones de *avoir*... p. 60
22 L'accord du participe passé employé avec *être*......... p. 62
    Chacun son rythme.. p. 64
23 **Bilan** Je sais distinguer les terminaisons *-er, é, -ais*...... p. 66

J'IDENTIFIE UNE PHRASE ET LES GROUPES DE MOTS QUI LA COMPOSENT

24 Les phrases simples et complexes............................... p. 68
25 Les groupes de mots à l'intérieur d'une phrase......... p. 70
    Chacun son rythme.. p. 72
26 Le sujet et l'accord sujet-verbe.................................... p. 74
27 L'attribut du sujet et son accord avec le sujet........... p. 76
    Chacun son rythme.. p. 78
28 **Bilan** Je sais accorder le verbe et l'attribut avec le sujet....... p. 80
29 Les compléments du verbe.. p. 82
30 Les compléments de phrase... p. 84
    Chacun son rythme.. p. 86
31 **Bilan** Je sais identifier les fonctions....................... p. 88
    MÉTHODE 2 Comment distinguer les compléments ?....... p. 90

© Hatier, Paris, avril 2016 – ISBN : 978-2-218-98940-7

J'ENRICHIS MON VOCABULAIRE

MÉTHODE 3 Comment utiliser le dictionnaire ?.. p. 92
32 L'origine et la formation des mots.. p. 94
33 La formation des mots dérivés.. p. 96
34 La formation des mots à partir d'éléments latins ou grecs........................... p. 98
Chacun son rythme .... p. 100
35 Les synonymes .... p. 102
36 Les différents sens d'un mot.. p. 104
Chacun son rythme .... p. 106

J'AMÉLIORE MA RÉDACTION

37 Je sais ponctuer un texte .... p. 108
38 Je sais exprimer la négation .... p. 110
39 Je sais exprimer l'interrogation.. p. 112
Chacun son rythme .... p. 114
40 Je sais utiliser le bon niveau de langue .... p. 116
41 Je sais éviter les répétitions.. p. 118
42 Je sais structurer mon texte .... p. 120
Chacun son rythme .... p. 122

OUTILS

GRAMMAIRE

◆ Les classes grammaticales ....p. 2
de couverture
◆ Les fonctions grammaticales ......p. 3
de couverture
◆ Pronoms et déterminants .... p. 124
◆ Les principaux préfixes et suffixes .... p. 125

CONJUGAISON

◆ Verbes *être*, *avoir*, *jouer*, *grandir*............. p. 126
◆ Verbes *aller*, *faire*, *dire*, *prendre*............. p. 127
◆ Verbes *pouvoir*, *voir*, *devoir*, *vouloir*........ p. 128

1 Les noms

Charles Perrault a écrit des contes merveilleux.

Complète les phrases.

Les noms en vert commencent par une _____ **: ce sont des noms** _____ .

Le nom en violet est précédé d'un déterminant : c'est un nom _____ .

Je retiens

 A **QU'EST-CE QU'UN NOM COMMUN ?**

- Les noms communs désignent des **êtres vivants**, des **objets**, des **activités**, des **idées**…
- Ils ont un **genre** (masculin ou féminin) et varient en **nombre** (singulier ou pluriel).
- Ils sont le plus souvent précédés d'un **déterminant**.
  ses frères, *une* fraise, *des* colliers, *la* danse, *cette* habitude
- L'ensemble déterminant + nom (+ adjectif) est un **groupe nominal** (GN).
  la fontaine, une pauvre femme

 B **QU'EST-CE QU'UN NOM PROPRE ?**

- Les noms propres désignent un **lieu**, une **personne**, un **monument**… qui sont **uniques**.
- Ils commencent toujours par une **majuscule**.
- Ils sont **invariables** (sauf les noms d'habitants) : *un Parisien, des Parisiennes*
- Ils s'utilisent **sans déterminant** (sauf les lieux, les habitants et les monuments).
  Charles, Médor, Jupiter, Paris **mais** *le Japon, les Japonaises, l'Arc de Triomphe*

Je m'entraîne

Les noms féminins ne finissent pas tous par *e* !

1 Voici une liste de mots.

Louis XIV • élève • Marseille • conte • fée • loin • Angleterre • rêver • lenteur • lent • lentement • gentillesse • Apollon • rêve • jouet • jouer • avec

☐ **1. Souligne en bleu les noms propres.**

☐ **2. Souligne en rouge les noms communs.**

■ **3. Barre les mots qui ne sont pas des noms.**

2 Souligne en bleu les noms masculins et en rouge les noms féminins.

☐ **1.** fleur • idée • gants • nez • jours • nuit

☐ **2.** lycée • santé • joie • musée • réalités

3 Souligne en bleu les noms au singulier et en rouge les noms au pluriel.

☐ **1.** maisons • étoiles • rues • sac • chapeau

☐ **2.** journaux • mer • lampes • joujoux • pneus

4 Classe chaque nom commun selon son sens.

enfant • arbre • sagesse • tulipe • table • léopard • parasol • chêne • fraise
• téléviseur • bonté • collégien • fourmi • stylo • bienveillance • orgueil

Objets	Êtres vivants

Végétaux	Qualités ou défauts

5 Trouve un nom d'objet, de ville, de végétal, d'animal et de personnage célèbre commençant par la lettre *c*, puis *b*, puis *n*.

	Objets	Villes	Végétaux	Animaux	Personnages célèbres
c					
b					
n					

6 Nom ou verbe ? Souligne les noms parmi les mots en gras.

1. Ouvre la **porte**. • Je **porte** un sac rempli de surprises.

2. Tu ne dois pas **rire**. • Ton **rire** est communicatif !

3. **Cours** plus vite ! • **Cours** de maths et de SVT annulés.

> Observe bien le mot qui précède, c'est un indice !

7 Rédige une phrase où le mot *lance* sera un nom et une autre où il sera un verbe.

....

....

8 J'APPLIQUE pour lire

Cependant Cendrillon, avec ses méchants habits, ne laissait pas d'être cent fois plus belle que ses sœurs, quoique vêtues magnifiquement. Il arriva que le fils du roi donna un bal, et qu'il en pria toutes les personnes de qualité.

Charles Perrault, « Cendrillon ou la Petite Pantoufle de verre » (1697).

a) **Relève le nom propre :** ....

b) **Relève tous les noms au masculin singulier :**

....

c) **Relève tous les noms au pluriel :** ....

....

9 J'APPLIQUE pour écrire

Le surnom Cendrillon vient du mot *cendres*.
Explique à ton tour l'origine d'un surnom de ton invention.

Exemple : *Il était une fois une fille qui pleurait pour un rien.*
On l'avait surnommée Pleurnichette.

> **Consigne**
> • 2 ou 3 phrases

Coche la couleur que tu as le mieux réussie.

☐ Relève de nouveaux défis ! ⟶ exercices 1, 2, p. 10
▨ Améliore tes performances ! ⟶ exercice 3, p. 10
▨ Prouve que tu es un champion ! ⟶ exercices 4, 5, p. 10

Chacun son rythme

2 Les déterminants

Les fées possèdent une baguette magique.

Barre la proposition incorrecte.

Les mots en gras sont placés avant des noms / des verbes.

Complète la phrase : Ce sont des ....

Je retiens

 A QU'EST-CE QU'UN DÉTERMINANT ?

• Les déterminants se placent avant un **nom**, avec lequel ils s'accordent en **genre** et en **nombre**.
cette fontaine, *sa* cruche (= GN)

B LES DIFFÉRENTS DÉTERMINANTS

		Définitions	Exemples
Articles indéfinis	un, une, des	déterminent un **nom imprécis** ou **inconnu**.	*un* jour, *un* roi
Articles définis	le, la, les, l' (devant un mot qui commence par une voyelle ou un *h* muet)	déterminent un **nom précis** ou **déjà connu**.	*le* roi (de ce pays)
Articles définis contractés	au (à + le), aux (à + les), du (de + le), des (de + les)	**contraction** d'une préposition et d'un article.	la fille *du* roi
Articles partitifs	du, de la, de l'	désignent une **quantité indéfinie** (= un peu de).	*du* pain
Déterminants possessifs	ma, ta, sa, mon, ton, son, mes, tes, ses, notre, votre, leur, nos, vos, leurs	indiquent le **possesseur** du nom.	*mon* fils, *ton* fils
Déterminants démonstratifs	ce, cet, cette, ces	montrent ou rappellent un **nom** dont on a **déjà parlé**.	*cette* nuit, *ces* lutins

Je m'entraîne

1 Utilise le déterminant indiqué pour former des GN avec les noms proposés.

1. **ARTICLES INDÉFINIS** .... lampe • .... chat • .... ballons • .... beauté

2. **ARTICLES DÉFINIS** .... été • .... sons

3. **DÉTERMINANTS DÉMONSTRATIFS** .... années • .... hiver • .... souris

2 Repère les déterminants et barre les intrus.

1. **1 INTRUS** un • mes • des • beau • le • la • cette • du • leur • ce • les

2. **3 INTRUS** une • nos • cet • mot • aux • votre • lourd • notre • mon • ton • voir

3. **4 INTRUS** ces • eux • l' • tes • aux • avec • vos • ma • cette • dans • chez • sa • des

3 Souligne en bleu les articles, en rouge les possessifs, en vert les démonstratifs.

▢ **1.** un chat • ces enfants • notre ballon • le vent • ce jour • vos amis • ses livres • des années

▨ **2.** l'heure • cet été • notre maison • du retard • ces époques-là • ta robe • aux champs

▉ **3.** ces temps-ci • de la rosée • au temps des Romains • vos emplois du temps • de l'argent

4 Utilise le déterminant possessif ou démonstratif qui convient.

*-ci désigne ce qui est **proche** et -là ce qui est **loin**.*

▢ **1.** Regardez .... fleurs : elles viennent de mon jardin. • Quand prend-il .... vacances ?

▨ **2.** Il habite une de .... maisons avec .... fils. • .... temps ...., je suis fatigué.

▉ **3.** En .... temps ...., les hommes étaient vêtus de peaux de bête.

5 Souligne les articles définis contractés.

▢ **1.** l'emploi du temps • le vol des cigognes

▨ **2.** la loi du plus fort • Tu es au milieu du cercle.

▉ **3.** Il boit du Coca à l'entrée du collège.

6 Souligne les articles partitifs.

▢ **1.** Veux-tu du pain ? • Il nous faut du temps.

▨ **2.** Je rentre de la plage et je bois de l'eau.

▉ **3.** Veux-tu de l'aide ? • J'entends du bruit.

7 ▉ Classe les GN soulignés.

de grands espaces • la fin du voyage • de l'herbe • le temps des vacances • du chocolat • des courses

*L'article indéfini **des** devient **de** (ou **d'**) devant un **adjectif**. Ne confonds pas avec le partitif !*

Article indéfini + (adjectif) + nom	Article partitif + nom	Article défini contracté + nom
....	....	....
....	....	....
....		

8 ▉ Barre les déterminants qui ne conviennent pas aux noms proposés.

*On utilise **mon, ton, son** devant des noms **féminins** commençant par une **voyelle**.*

▢ **1.** un / le / mon / ces / ma **chat** • un / des / ce / ces / son / sa / cet **prix**

▨ **2.** un / ce / cet / cette / mon / leur / la **enfant** • une / l' / la / ta / ton / cet / cette **écharpe**

▉ **3.** ce / un / des / le / son / ses / ces **bras** • mon / ma / un / une / cet / cette **amie**

9 🏆 **J'APPLIQUE** pour lire

Ajoute les déterminants.

.... femme lui dit : « Vous êtes si bonne que je vous fais .... don : à chaque parole, il vous sortira de ..... bouche .... fleur ou .... pierre précieuse. » Lorsque .... belle fille arriva .... logis, ... mère la gronda. « Pardon .... mère », et en disant .... mots, il lui sortit de ..... bouche roses, perles et diamants.

D'après Charles Perrault, « Les Fées » (1697).

10 🏆 **J'APPLIQUE** pour écrire

Une fée t'attribue un don. Explique quel est ce don et raconte comment tu l'utilises.
Exemples : *voler, devenir invisible, se transformer en animal…*

> **Consigne**
> • 5 lignes
> • 6 déterminants

Coche la couleur que tu as le mieux réussie.

▢ Relève de nouveaux défis ! ⟶ exercices 6, 7, p. 10 et 8, p. 11

▨ Améliore tes performances ! ⟶ exercice 9, p. 11

▉ Prouve que tu es un champion ! ⟶ exercice 10, p. 11

Chacun son rythme

7

Les adjectifs qualificatifs

J'observe

Une **longue** barbe **bleue**.

Complète les phrases.

Les mots en gras nous renseignent sur la taille et la couleur du nom ....

Ils s'accordent en .... et en .... avec ce nom.

Je retiens

 A QU'EST-CE QU'UN ADJECTIF QUALIFICATIF ?

• Les adjectifs qualificatifs précisent l'**apparence**, la **couleur**, le **caractère**... d'un **nom** ou d'un **pronom**. On dit qu'ils le **qualifient**.

*la **belle** princesse, il est **grand***

• Ils s'accordent **en genre** et **en nombre** avec le mot qu'ils qualifient.

*de **belles** maisons, le carrosse est **doré***

 B LES DIFFÉRENTS TYPES D'ADJECTIFS QUALIFICATIFS

• **Mot simple** : *beau, grand, petit*

• **Mot** formé à l'aide d'un **suffixe** : *lis**ible**, joy**eux**, jet**able*** ▶ fiche 33

• **Participe présent** ou **passé** utilisé comme adjectif : *charmant, doré* ▶ fiche 9

⚠ Un adjectif peut être utilisé comme nom : *les **bons** et les **méchants***

Je m'entraîne

1 Barre les mots qui ne peuvent pas être des adjectifs.

   1. gentil • valise • long • train • rapide • blanc • blancheur • beauté • courir • heureux

   2. rouge • rougeur • loin • lointain • joli • possible • longer • longuement • terrible • élégant • élégance

   3. vent • lent • amusant • invisible • mal • visiblement • cible • risible • égal • vraiment • vision • vrai

2 Utilise les adjectifs pour enrichir les GN. Attention aux accords !

blond • peureux • joyeux • drôle • épais • juste • long • beau • chaud

   1. `1 ADJECTIF PAR GN` un film ....
     • une fille ....
     • un chat ....

   2. `1 ADJ. PAR GN` une jupe ....
     • des animatrices ....

   3. `2 ADJ. PAR GN`
     • des vêtements .... et ....
     • un discours .... et ....

3 Forme des adjectifs à partir des mots en utilisant les suffixes *-eux, -ible, -able, -el*.

1. malheur : .... • année : ....

2. terreur : .... • accepter : ....

  • occasion : .... • joie : ....

3. vision : .... • rire : ....

  • lumière : .... • jouer : ....

4 Voici une liste d'adjectifs.

lent • pesant • doré • étonné • étonnant • décoré • prudent • déficient • élevé • émouvant • rosé

1. **Souligne en bleu les participes passés.**

2. **Souligne en vert les participes présents.**

3. **Souligne en rouge les autres adjectifs.**

> Les participes peuvent se mettre à l'infinitif.

5 Classe ces adjectifs selon leur sens.

blanc • heureux • carré • coléreux • rouge • déçu • noir • lisse • énorme • étonné • souriant • prudent

Couleurs	Apparence	Qualités et défauts	Sentiments et émotions

6 Invente une phrase où l'adjectif souligné sera utilisé comme nom.

Mon pull est bleu. ➜ ....

7 **J'APPLIQUE pour lire**

La Barbe bleue épousa la **fille** cadette de sa voisine. Ses précédentes **épouses** avaient disparu de façon mystérieuse. Un jour, il annonça à sa femme qu'il devait s'absenter pour une affaire importante, mais qu'il voulait qu'elle soit heureuse pendant ce temps. Elle pouvait donc inviter tous ses bons amis.

D'après Charles Perrault, « La Barbe bleue » (1697).

a) **Quels adjectifs qualifient les deux noms en gras ?** ....

....

b) **Relève deux autres adjectifs au féminin singulier et indique le mot qu'ils qualifient :**

....

....

c) **Souligne un GN masculin de trois mots.**

8 **J'APPLIQUE pour écrire**

Une barbe bleue, ce n'est pas banal ! Imagine à ton tour un personnage au physique original et évoque les conséquences de cette particularité.

> **Consigne**
> • 5 lignes
> • 5 adjectifs

Coche la couleur que tu as le mieux réussie.

☐ Relève de nouveaux défis ! ⟶ exercices 11, 12, p. 11

☐ Améliore tes performances ! ⟶ exercice 13, p. 11

☐ Prouve que tu es un champion ! ⟶ exercices 14, 15, p. 11

> Chacun son rythme

Chacun son rythme

Les noms

■ **1.** Range-mots **Classe ces noms.**

train • ballons • sacs • rapidité • rivière • vestes • conte • poésie • rues • mer • cousines • bateau

Masculin singulier	Masculin pluriel
....	....
....	....

Féminin singulier	Féminin pluriel
....	....
....	....

Comment as-tu reconnu les mots au pluriel ? Comment se terminent-ils ?

....

■ **2.** Mots à la loupe **Donne la classe grammaticale des mots soulignés (nom, verbe).**

1. Tu as pris la meilleure <u>place</u>. ....
2. <u>Place</u>-toi à côté de moi. ....
3. Il y a des <u>traces</u> de pas dans la neige. ....
4. <u>Trace</u> un trait bien droit. ....
5. On nous a réservé un bon <u>accueil</u>. ....

■ **3.** Pyramide **Complète cette pyramide à l'aide des définitions, puis souligne les noms communs.**

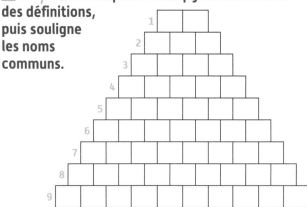

1. Nom utilisé pour donner l'âge.
2. Terre entourée d'eau.
3. Capitale de l'Italie.
4. Les abeilles y vivent.
5. Gaulois qui aime les menhirs.
6. Elle comporte 7 jours.
7. Il a écrit de célèbres contes.
8. Femme née au Japon.
9. Jolie fleur des champs rouge.

■ **4.** Charade

Mon premier est le nom d'un oiseau noir et blanc. **Mon deuxième** est la 11e lettre de l'alphabet. **Mon troisième** est le nom de l'objet qui permet à Cendrillon de transporter de l'eau. **Mon tout** est un nom propre désignant un grand peintre du xxe siècle.

....

....

■ **5.** Double sens **Certains mots s'écrivent de la même façon mais n'ont pas le même sens ni le même genre. Emploie chacun de ces mots dans une phrase.**

un **tour** • une **tour**

....

....

....

....

Les déterminants

■ **6.** Chasse aux intrus **Barre les mots qui ne peuvent pas être des déterminants.**

la • plage • chanter • ces • mon • jeu • des • tes • tu • bon • notre • lui • vite • ce • vos • eux • l' • leur • heure

Comment as-tu reconnu les déterminants ? Par quoi peuvent-ils être suivis ?

....

■ **7.** Range-mots **Classe ces déterminants.**

notre • ces • au • les • ses • ta • cette • du • ce • vos • des • leur • l'

Articles	....
Possessifs	....
Démonstratifs	....

Comment as-tu reconnu les démonstratifs ? Par quelle lettre commencent-ils ?

....

8. Quiz **Coche la ou les bonnes réponses.**

Des est un article :

☐ toujours indéfini. ☐ toujours défini.

☐ parfois indéfini. ☐ parfois défini contracté.

9. Mots croisés **Remplis cette grille à l'aide des déterminants correspondant aux définitions.**

Horizontal 1. article défini fém. sing. • démonstratif masc. sing. **2.** article indéfini fém. sing. **3.** possessif fém. sing. **4.** article défini plur. **5.** article défini contracté sing.

Vertical A. article défini sing. élidé • article défini masc. sing. **B.** article défini contracté sing. **D.** démonstratif plur.

	A	B	C	D	E
1					
2					
3					
4					
5					

10. Méli-mélo **Retrouve au moins 15 déterminants dans la grille : tu dois lire dans tous les sens, et une même lettre peut être utilisée deux fois. Ne compte pas *l'*.**

L	E	S	E	S
A	U	E	O	A
T	O	N	D	U
E	L	O	E	X
C	E	S	S	A

Les adjectifs qualificatifs

11. Cache-cache **Souligne les adjectifs qualificatifs.**

gentil • facile • facilement • long • juste • rouge • noir • noircir • impossible • réussite • vieux • vraiment • aventure • rond • pointu • bien • étrange • journal • banal • continuel • bretelle • peureux • feu

12. Lettres mêlées **Remets les lettres en ordre pour retrouver quatre adjectifs de couleur.**

1. T L O V E I ....

2. U J N A E ....

3. G O N A R E ....

4. E V U A M ....

13. Range-mots **Classe ces adjectifs.**

réjouissant • fatigué • laid • pâle • annuel • fondant • risible • épanoui • vif • louable

Adjectif simple	Adjectif avec suffixe
Participe passé	**Participe présent**

Comment as-tu fait pour reconnaître les participes ?

....

14. Pyramide **Complète cette pyramide à l'aide d'adjectifs de sens contraire.**

1. mauvais
2. laid
3. petit
4. éloigné
5. gentil
6. banal

15. Charade

Mon premier permet de couper du bois.
Mon deuxième est une arme que l'on envoyait sur les ennemis.
Mon troisième est le pluriel du nom *œil*.
Mon tout est un adjectif qui ne fait pas de bruit.

....

4 Les pronoms

J'observe

Riquet à la houppe avait promis d'épouser une princesse. **Celui-ci** se présenta à **elle** le jour dit.

Complète les phrases.

Le pronom *celui-ci* remplace : ....

Le pronom *elle* remplace : ....

Je retiens

 A QU'EST-CE QU'UN PRONOM ?

- Les pronoms **remplacent** un **nom** ou un **GN**.
- Ils s'accordent **en genre et en nombre** avec le nom ou le GN qu'ils remplacent.
  *Le prince arriva chez <u>la princesse</u>. **Celle-ci** fut surprise.*
- Les pronoms peuvent aussi **remplacer le contenu d'une phrase**.
  *Le prince va se marier, **le** saviez-vous ? **Cela** m'étonne !*

 B LES DIFFÉRENTS PRONOMS ▸ p. 124

		Caractéristiques	Exemples
Pronoms personnels	je, tu, il, elle, on, nous… me, moi, m', te, toi, t'… le, la, lui, leur, eux, se, en, y…	**marquent la personne** avant les verbes conjugués et / ou **remplacent** un nom, un GN ou une phrase.	*je chante, le prince :* ***il**, **lui***
Pronoms possessifs	le mien, la tienne, les siennes, le nôtre, les vôtres, les leurs…	**remplacent** un nom précédé d'un déterminant possessif.	*les fils du roi (= ses fils) :* ***les siens***
Pronoms démonstratifs	celui(-ci ou -là), ceux(-ci ou -là)… ce, c', ceci, cela, ça (familier)	**remplacent** un nom précédé d'un déterminant démonstratif ou le contenu d'une phrase.	*celui-ci se présenta*

Je m'entraîne

1 Remplace les GN soulignés par le pronom indiqué afin d'éviter une répétition.

1. PRONOM PERSONNEL La reine eut deux filles, <u>la reine</u> .... en était très heureuse.

2. PRONOM POSSESSIF Ce n'était pas votre tour, mais maintenant c'est <u>votre tour</u> ....

3. PRONOM DÉMONSTRATIF Voici les deux filles de la reine : <u>cette fille-ci</u> .... est belle et <u>cette fille-là</u> .... est laide.

2 Barre les mots qui ne peuvent pas être des pronoms.

  ☐ **1.** il • nous • île • ceux • ceci • le tien • tenir • bleu • tour • je • mais

  ▨ **2.** tu • le • la • des • le vôtre • votre • cela • leur • celui-là • du • ça

  ▨ **3.** ce • elle • au • de • par • leurs • dans • les • eux • avec • l' • vous

3 Réécris ces phrases en remplaçant les GN soulignés par des pronoms personnels.

  ☐ **1.** Riquet à la houppe était très laid. ....

  ▨ **2.** Une fée fit un don à l'enfant. ....

  ▨ **3.** La mère fut satisfaite de ce don. ....

> Le pronom n'est pas toujours à la même place que le nom qu'il remplace.

4 Remplace ces GN par des pronoms possessifs.

  Ex : *la houppe de Riquet* ➡ *la sienne*

  ☐ **1.** les filles de la reine ➡ .... • la beauté de la première ➡ ....

  ▨ **2.** votre fille ➡ .... • les amis de votre fille ➡ ....

  ▨ **3.** mon ami et le tien ➡ .... • sa beauté et celle de sa sœur ➡ ....

5 Complète par un pronom démonstratif.

  ☐ **1.** Ce pull est joli mais je préfère .... • Je n'ai pas lu .... que tu as écrit.

  ▨ **2.** .... qui ont vu ce film l'ont aimé. • Voilà mon livre, où est .... de Paul ?

  ▨ **3.** Avez-vous dit .... qu'il fallait faire à .... qui sont là-bas ?

  • .... m'étonnerait.

> Ne confonds pas *ce* et *ceux* : *ceux* remplace toujours un GN pluriel.

6 🅹'APPLIQUE pour lire

La reine d'un royaume voisin eut deux filles. Celle qui naquit la première était plus belle que le jour : la reine **en** fut si heureuse, qu'on craignit que la trop grande joie qu'<u>elle</u> en avait ne **lui** fît mal. Une fée était présente et pour modérer la joie de la reine, <u>elle</u> lui déclara que cette petite princesse n'aurait point d'esprit et qu'<u>elle</u> serait aussi stupide qu'elle était belle. Cela attrista la reine, mais elle eut peu après un bien plus grand chagrin : sa deuxième fille était extrêmement laide.

D'après Charles Perrault, « Riquet à la houppe » (1697).

a) Indique la classe grammaticale des pronoms soulignés et indique le nom qu'ils remplacent : ....

....

b) Relève deux pronoms démonstratifs et précise ce qu'ils remplacent : ....

....

....

c) Que remplacent les deux pronoms personnels en gras ? ....

....

....

7 🅹'APPLIQUE pour écrire

Dans le conte, la belle princesse est stupide, mais sa sœur qui est laide est intelligente. Si une fée te demandait de choisir entre les deux, que ferais-tu ? Explique ton choix.

Consigne
• 5 lignes
• 4 pronoms différents

Coche la couleur que tu as le mieux réussie.
☐ Relève de nouveaux défis ! ➡ exercices 1, 2, 3, p. 16
▨ Améliore tes performances ! ➡ exercice 4, p. 16
▨ Prouve que tu es un champion ! ➡ exercices 5, 6, p. 16

Chacun son rythme

5 Le groupe nominal

J'observe

La belle **princesse** s'endormit pendant cent ans.

Combien y a-t-il de mots dans le groupe nominal en gras ? ....

Quel mot peut-on supprimer facilement ? ....

Je retiens

 A COMMENT RECONNAÎTRE UN GROUPE NOMINAL ?

• Un groupe nominal (GN) est formé au minimum d'un **nom précédé d'un déterminant**.
un conte, ma vie, cette histoire

• Il peut être précisé par d'autres **mots ou groupes de mots** appelés **expansions**.
*une **belle** princesse, un **grand** livre **de contes***

• On appelle **noyau du groupe nominal** le nom **précisé par une ou plusieurs expansions**.

 B QUELLES SONT LES PRINCIPALES EXPANSIONS ?

• L'**épithète** est un **adjectif qualificatif** placé **avant ou après** le nom.
*un **grand** arbre, une histoire **étonnante***

• Le **complément du nom** est un nom ou un autre groupe nominal **relié au nom noyau par une préposition** : *le château **du prince***

Remarque : il peut y avoir **plusieurs épithètes ou plusieurs compléments du nom** dans un même groupe nominal : *la **petite** clé **dorée** du château de Barbe Bleue*

Je m'entraîne

1 Encadre le nom noyau de ces GN.

1. le gentil garçon • cette route étroite
• ce trousseau de clés • mon livre préféré

2. une passionnante histoire de vampires
• un petit chemin inconnu

3. le palais de la Belle au bois dormant
• un long et dangereux chemin de montagne

2 Souligne les adjectifs épithètes.

1. de beaux enfants • des journées ensoleillées
• un chemin long et dangereux

2. un beau jeune homme
• de grands espaces inhabités

3. une petite maison bien exposée
• une haute montagne enneigée

3 Souligne le complément du nom dans chaque GN.

1. la porte de ma chambre • le chemin de la plage • la boîte aux lettres

2. un petit souvenir de vacances • une jeune fille aux yeux bleus • une bague en or

3. le chant des cigales de mon jardin • un petit message sans intérêt • un retour en force

N'oublie pas que *à* et *de* se contractent avec les articles *le* et *les* en *au, aux, du, des.*

4 Souligne en bleu les épithètes et en rouge les compléments du nom.

1. mon nouveau pantalon noir • un livre amusant et instructif

2. cette inoubliable journée de printemps • un beau livre de contes

3. un ancien numéro de mon magazine préféré • la belle voiture de mon vieil oncle

> Un groupe nominal complément du nom peut comporter un adjectif épithète.

5 Choisis dans la liste une épithète qui convient. Plusieurs sont possibles !

confortable • passionnant • favori • fatigant • incroyable • petit • difficile • long • préféré

1. une _____ attente • des voyages _____

2. mon livre _____ • cette _____ chaise si _____

3. un travail _____ mais _____ • cet _____ récit.

> N'oublie pas d'accorder l'épithète !

6 Choisis dans la liste un complément du nom pour préciser ces GN.

de la maison • de mon frère • à la menthe • du métier • en cristal • en forêt • du pays • à moteur • en or

1. l'anniversaire _____ • une promenade _____ • un bonbon _____

2. un bateau _____ • cette carafe _____ • la capitale _____

3. cette bague _____ • le portail _____ • les inconvénients _____

7 Remplace chaque complément du nom souligné par une épithète de même sens.

1. la cantine de l'école : _____ • une spécialité de la région : _____

2. le réchauffement du climat : _____ • l'hymne de la nation : _____

3. la période d'été : _____ • le paysage de la ville : _____

8 Complète chacun de ces GN selon les indications.

1. `ÉPITHÈTE` un chat _____ • `COMPL. DU NOM` un livre _____

2. `ÉPITHÈTE ET COMPL. DU NOM` le _____ pantalon _____

3. `2 ÉPITHÈTES ET 1 COMPL. DU NOM` une _____ randonnée _____

9 **J'APPLIQUE** pour lire

La jeune <u>fée</u> prononça ces <u>paroles</u> rassurantes : « La <u>fille</u> du roi ne mourra pas, elle se transpercera la main et tombera dans un profond sommeil de cent ans. »

D'après Charles Perrault, « La Belle au bois dormant » (1697).

a) Encadre deux expansions qui précisent un même nom.

b) Relève les expansions qui précisent les trois noms soulignés et nomme-les.

fée : _____ • fille : _____

• paroles : _____

10 **J'APPLIQUE** pour écrire

Imagine à ton tour qu'une bonne fée te propose de t'endormir pour te réveiller à la période de ton choix.

Consigne
• 5 lignes
• 3 expansions différentes

Coche la couleur que tu as le mieux réussie.

Relève de nouveaux défis ! ⟶ exercices 7, 8, p. 16 et 9, p. 17
Améliore tes performances ! ⟶ exercices 10, 11, 12, p. 17
Prouve que tu es un champion ! ⟶ exercices 13, 14, 15, 16, p. 17

Chacun son rythme

Chacun son rythme

Les pronoms

■ **1.** Range-mots **Classe ces pronoms.**

je • le mien • cela • le • leur • le leur • ceux-ci • nous • vous • en • le vôtre • y • se • celle-là

Pronoms personnels	Pronoms possessifs	Pronoms démonstratifs
....	....	....
....	....	....
....	....	....
....	....	....

**Comment as-tu reconnu les possessifs ?
De combien de mots sont-ils formés ?**

....

■ **2.** Chasse aux intrus **Barre les mots qui ne peuvent pas être des pronoms.**

elle • du • chapeau • manger • eux • ceci • le nôtre • ce • les siens • grand • des • les • nous • la • ceux • aller • l'

■ **3.** Quiz **Coche la ou les bonnes réponses.**

Les pronoms démonstratifs :

☐ sont toujours en deux mots.

☐ sont parfois en deux mots.

☐ commencent souvent par un *c*.

☐ commencent toujours par un *c*.

■ **4.** Range-mots **Classe les mots qui n'appartiennent qu'à une seule classe grammaticale, puis complète les phrases avec les mots restants.**

tu • il • le • les • lui • ce • ceux • cet • l' • leur • leurs • le leur • votre • le vôtre • eux • ces • des • au

Toujours pronoms	Toujours déterminants
....	....
....	....
....	....

1. .... et .... sont parfois des pronoms et parfois des déterminants.

2. .... , ... et .... sont parfois des pronoms et parfois des articles.

■ **5** Pyramide **Remplis cette pyramide à l'aide des pronoms qui complètent ces phrases.**

1. Le masculin de *elle* est ….

2. Cet objet appartient à mon frère : il est à ….

3. Le pluriel de *je* est ….

4. Je n'aime pas ce pull ; je préfère … de ma sœur.

5. Ce n'est pas mon livre ; … est tout neuf.

6. Cette chanson-ci est bien, mais … est mieux.

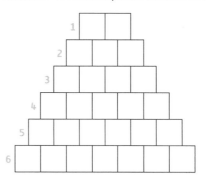

■ **6.** Devinette **Qui suis-je ?**

Je suis un **pronom possessif** qui devient **jardinier de Louis XIV** quand on lui ajoute des majuscules.

....

Le groupe nominal

■ **7.** Remue-méninges **Enrichis les GN avec les expansions proposées.**

grande • de montagne • farceur • jeune • d'anniversaire • dangereuse • potager • de pirate

1. un jardin ....

2. ce déguisement ....

3. une .... fête ....

4. un .... enfant ....

5. une route ....

■ **8.** Quiz **Coche la ou les bonnes réponses.**

L'épithète :

☐ est toujours un adjectif.

☐ se place toujours avant le nom.

☐ est parfois un nom.

☐ se place avant ou après le nom.

9. Jeu de pendu **Retrouve les épithètes manquantes (une lettre par tiret).**

1. Cet enfant I _ _ _ _ _ _ _ T a sauté dans l'eau
G _ _ _ É E.

2. Nous avons passé d'E_ _E_ _E_ _ES vacances.

10. Méli-mélo **On a mélangé les expansions de ces GN. Souligne-les et redonne à chaque GN l'expansion qui lui convient.**

ce tableau joufflu : ....

un bébé au pelage tacheté : ....

une gentille rivière : ....

un chat de Léonard de Vinci : ....

une grand-mère sinueuse : ....

11. Charades

1. **Mon premier** est une lettre de l'alphabet. **Mon deuxième** est un aliment très courant en Asie. On mange mon second sur **mon troisième** et **mon tout** est un adjectif épithète qui n'est pas faux et peut compléter cette phrase :

Ce collier est en or ....

2. **Mon premier** est souvent jeté par mon tout. **Mon deuxième** permet de couper du bois. On respire **mon troisième**. **Mon tout** est le complément du nom de ce GN.

Voici le balai de la ....

12. Méli-mélo **Complète les expansions de ces GN avec les syllabes disparues, puis souligne les expansions.**

nou • ex • croy • mens • fran

une in .... able histoire • le .... veau livre de .... çais • le résultat des .... a

13. Pyramide **Retrouve les noms noyaux manquants en remplissant la pyramide.**

1. l'… au trésor
2. des … d'artifice
3. un … de Perrault
4. l'… du berger
5. la … de l'arbre
6. les … de Sophie

Quel est le nom de ces expansions ? ....

14. Lettres mêlées **Retrouve les épithètes manquantes dans la grille et complète les GN.**

1. des poids très ....
2. un .... garçon
3. une eau très ....
4. un sens .... de l'orthographe
5. un .... paquet
6. un résultat ....
7. un animal ....

G	E	N	T	I	L
R	U	S	E	N	O
O	R	V	A	N	U
S	A	L	E	E	R
O	U	V	P	I	D
N	T	Y	S	A	S

15. Remue-méninges **Trouve le nombre d'expansions demandées.**

1. **3 ÉPITHÈTES** un .... bébé ....
....

2. **1 ÉPITHÈTE + 1 COMPL. DU NOM** la .... forêt
....

3. **1 ÉPITHÈTE + 1 COMPL. DU NOM AVEC 1 ÉPITHÈTE** cette
.... plage ....

16. Mot caché **Remplis la grille à l'aide du contraire des mots proposés, tu découvriras dans les cases colorées l'adjectif qui complète le GN inachevé.**

1. vieux
2. ennemi
3. blanc
4. dur
5. faux
6. sombre
7. très petit
8. pousser

un film ....

Comment distinguer un pronom d'un déterminant ?

Certains pronoms et certains déterminants sont homonymes : ils se prononcent et s'écrivent de la même façon. Comment les différencier ?

Je repère la place du mot dans la phrase

- Le **déterminant** est le 1er mot d'un **groupe nominal** : il est suivi d'un nom ou d'un adjectif.

    la princesse, le beau prince, ce gentil roi, leur grande et belle jeune fille

- Les **pronoms personnels** *le, la, les, l', leur* sont placés **avant un verbe** (ou juste après à l'impératif).

    je la vois, il leur a parlé, il l'aperçoit, dis-le

- *Ce* **pronom démonstratif** se rencontre **avant le verbe être** ou avant *qui, que, à quoi*.

    ce sont d'excellentes nouvelles, ce que tu veux

Je vérifie que j'ai bien compris

1 Repère la place des mots en gras et coche les bonnes réponses.

	AVANT UN VERBE	AVANT UN NOM	DÉTERMINANT	PRONOM
1. **Le** téléphone est déchargé.	☐	☐	☐	☐
2. Je ne **les** connais pas.	☐	☐	☐	☐
3. Ils n'ont pas **leur** clé.	☐	☐	☐	☐
4. Regarde **ce** livre.	☐	☐	☐	☐
5. Je **leur** réponds.	☐	☐	☐	☐

Je remplace ce mot par un autre mot

- Le **déterminant** peut être remplacé par un **autre déterminant** (qui n'a pas d'homonyme).

    la princesse → une princesse

- Les **pronoms personnels** peuvent souvent être remplacés par **le nom ou le GN qu'ils représentent**.

    Ton frère a grandi, mais je l'ai reconnu → j'ai reconnu ton frère.

Je vérifie que j'ai bien compris

2 Remplace les mots en gras par un déterminant ou un nom, puis coche la bonne réponse.

	DÉTERMINANT	PRONOM
1. Apporte **le** DVD.	☐	☐
2. Un chat miaule, je **l'**entends.	☐	☐
3. **Leur** sac est grand.	☐	☐
4. **Les** enfants jouent.	☐	☐
5. Ces vacances, nous **les** attendions !	☐	☐

À RETENIR

Le, la, les, l', leur, ce + nom = **déterminant** (remplaçable par un autre déterminant)
Le, la, les, l', leur, ce (ou *c'*) + verbe = **pronom** (souvent remplaçable par le nom ou le GN qu'il représente)

3 Articles ou pronoms personnels ? Souligne les mots en gras : articles en bleu et pronoms en rouge.

1. Où est **le** chat ? Je **l'**entends miauler.
2. Je ne **le** vois pas… C'est bizarre, **le** bol est plein de croquettes. Pourquoi ne **les** a-t-il pas mangées ?
3. En plus, c'est **la** marque qu'il préfère !
4. J'ai compris ! Je **l'**ai enfermé dehors !

4 Déterminant possessif ou pronom personnel ? Souligne le mot *leur* en bleu quand il est déterminant et en rouge quand il est pronom.

1. Luc et Djemila m'ont parlé de **leur** chanson préférée. Je **leur** ai proposé de l'écouter.
2. Ils avaient pris **leur** maillot, ce qui **leur** a permis de se baigner.
3. **Leur** grand-père **leur** a cuisiné des lasagnes.

5 Pronom ou déterminant démonstratif ? Souligne le mot *ce* en bleu quand il est déterminant et en rouge quand il est pronom.

1. **Ce** sont des fruits qui ont été cueillis **ce** matin.
2. **Ce** jour-là, il ne savait pas **ce** qu'il voulait faire.
3. Pendant **ce** temps, on fera tout **ce** qu'on voudra !

6 Complète par *leur* ou *leurs*.

⚠ *Leurs* au pluriel est toujours un déterminant.

1. Ils ont laissé _____ blousons chez eux, je _____ avais pourtant dit de les prendre.
2. Je _____ ai fixé rendez-vous près de _____ collège.
3. _____ avez-vous donné _____ cadeaux ?
4. Rendez-_____ _____ jouets !

7 Complète par *ce, c'* ou *cet*.

⚠ Le pronom *ce* s'élide en *c'* et le déterminant *ce* devient *cet* avant une voyelle.

1. _____ est bien, _____ matin et _____ après-midi, nous avons pu nous baigner.
2. _____ ogre a l'air féroce, _____ qui effraie tous les enfants, _____ est dommage, car _____ n'est qu'une apparence ; _____ est un ogre très gentil.
3. Est-_____ tout _____ que vous avez à dire sur _____ événement ? _____ est peu !

8 Relie les mots soulignés à la bonne réponse.

1. Je <u>les</u> ai vus •
2. <u>Ce</u> conte •
3. <u>Leur</u> fils •
4. <u>L'</u>illusion •
5. Cela <u>leur</u> plaît •
6. Je <u>l'</u>écoute •
7. <u>La</u> rivière •
8. <u>Ce</u> sont des animaux •
9. Je <u>le</u> sais •

• pr. personnel
• pr. démonstratif
• article défini
• dét. possessif
• dét. démonstratif

9 Complète par des homonymes. Écris en bleu s'il s'agit d'un déterminant et en rouge si c'est un pronom.

1. Dans _____ film, _____ que j'ai préféré _____ sont les effets spéciaux.
2. _____ fin, je _____ connais, mais je ne te _____ dirai pas.
3. Je ne _____ ai pas parlé de _____ vacances.
4. Je _____ ai vus tous _____ jours.
5. _____ cousin de Léa, je _____ connais.

10 **BILAN** Parmi les mots en gras, souligne :
• en rouge les articles définis,
• en vert les pronoms personnels,
• en bleu les pronoms démonstratifs.
Encadre les déterminants démonstratifs.

Au bout de cent ans, **le** fils du roi qui régnait alors, et qui était d'une autre famille que **la** princesse endormie, étant allé à **la** chasse de **ce** côté-là, demanda **ce** que c'était que **ce** château qu'il voyait au-dessus d'un grand bois fort épais. **La** plus commune opinion était qu'un ogre y demeurait, et que là il emportait tous **les** enfants qu'il pouvait attraper, pour pouvoir **les** manger à son aise et sans qu'on puisse **le** suivre, car il était seul à avoir **le** pouvoir de se faire un passage à travers **le** bois.

D'après Charles Perrault,
« La Belle au bois dormant » (1697).

6 Le féminin des noms et des adjectifs

J'observe

un riche marchand • une riche marchande

Observe les 2 groupes nominaux. Quels mots ont changé dans le GN en violet ? ....

Quelle modification remarques-tu ? ....

Quel mot n'a pas changé au féminin ? ....

Pourquoi ? ....

Je retiens

A. COMMENT FORMER LE FÉMININ DES NOMS ET DES ADJECTIFS ?

• **Cas général** : $\boxed{\text{féminin}} = \boxed{\text{masculin}} + \boxed{e}$

un marchand / une marchande, grand / grande

• **Adjectifs masculins** terminés par ***e*** ➡ **pas de changement** : *rapide, libre*

⚠ Seuls les noms désignant des êtres humains ou des animaux changent de genre.
un client / une cliente, un ours / une ourse

B. CAS PARTICULIERS

• **Doublement** de la **consonne finale** : *bon / bonne, chien / chienne*
• **Changement** de la **consonne finale** : *neuf / neuve, danseur / danseuse, public / publique*
• **Ajout** d'un **accent grave** ou d'**une lettre** : *berger / bergère, léger / légère, blanc / blanche*
• **Modification** de la **terminaison** : *directeur / directrice, nouveau / nouvelle*
• **Ajout** d'un **suffixe** : *prince / princesse*
• Certains noms **changent complètement** de forme au féminin : *un frère / une sœur*

Je m'entraîne

1 Mets ces GN au féminin, lorsque c'est possible.

1. un voisin : ....
• un marchand : ....
• un moment : ....
2. un fauteuil : ....
• un ami : ....
• un employé : ....
3. un avocat : ....
• un discours : ....
• un romancier : ....

2 Donne le féminin de ces adjectifs.

1. grand : .... • gentil : ....
• facile : .... • joli : ....
• banal : .... • bleu : ....
2. petit : .... • réel : ....
• curieux : .... • mignon : ....
• épais : .... • léger : ....
3. naïf : .... • coquet : ....
• ancien : .... • bref : ....
• inquiet : .... • franc : ....

3 Donne le féminin de ces noms.

1. comte : .... • directeur : .... • cousin : ....

2. auditeur : .... • âne : .... • lion : ....

3. duc : .... • facteur : .... • docteur : ....

4 Trouve le féminin de ces noms.

Attention, le **radical** est complètement **différent** !

1. frère : .... • roi : .... • homme : .... • garçon : ....

2. neveu : .... • cheval : .... • oncle : .... • taureau : ....

3. singe : .... • bouc : .... • mouton : .... • cerf : ....

5 Mets ces GN au féminin.

1.
un beau berger : ....
un citoyen européen : ....

2.
un loup cruel : ....
cet acteur généreux : ....

3.
un héros courageux : ....
un père attentif : ....

6 Mets ces GN au masculin.

1. une fille blonde : .... • une élève sage : ....

2. la lionne jalouse : .... • cette truie rose : ....

3. ma douce biche : .... • cette ancienne institutrice : ....

7 Complète ces GN en conservant le même adjectif.

Certains adjectifs ont une **autre forme** avant une **voyelle**.

1. un **beau** garçon ➜ un .... enfant

2. un **vieux** vêtement ➜ un .... instrument

3. un amour **fou** ➜ un .... amour

8 JE CONSOLIDE mon orthographe

Accorde au féminin les adjectifs et les GN entre parenthèses.

1. Julie, tu peux être (fier) .... de toi.

2. L'apparition (public) .... de la reine a été très applaudie.

3. Où est ta trousse (neuf) .... ?

4. Cette (vieux) .... veste est trop petite.

5. Quelle (beau) .... chevelure (roux) .... !

6. Caroline, ne sois pas (naïf) .... !

7. Cette nappe (blanc) .... est très (salissant) ....

8. Agathe est une (infirmier courageux) ....

9. Au zoo, nous avons vu une (tigre tacheté) .... et une (gentil petit lion) ....

Coche la couleur que tu as le mieux réussie.

☐ Relève de nouveaux défis ! ⟶ **exercices 1, 2, 3, p. 24**
▨ Améliore tes performances ! ⟶ **exercices 4, 5, p. 24**
▧ Prouve que tu es un champion ! ⟶ **exercices 6, 7, 8, p. 24**

Chacun son rythme

7 Le pluriel des noms et des adjectifs

J'observe

un fruit délicieux : des fruits délicieux • une île déserte : des îles désertes

Observe ces GN. Quelle lettre a-t-on ajoutée pour les mettre au pluriel ? ....

Quel mot n'a pas changé ? ....

Pourquoi ? ....

Je retiens

 A COMMENT FORMER LE PLURIEL DES NOMS ET DES ADJECTIFS ?

• **Cas général :** pluriel = nom ou adjectif + s   *des fleurs, de grands arbres*
• **Noms** ou **adjectifs en -s, -x, -z** au singulier → **pas de changement** au pluriel.
  souris, prix, heureux, nez

⚠ 2 noms singuliers = adjectif au **pluriel** :   *un livre et un film intéressants*
  1 nom féminin + 1 nom masculin = adjectif au **masculin pluriel**
  une jupe et un t-shirt noirs

B CAS PARTICULIERS

• **Noms** ou **adjectifs en -al** → pluriel en **-aux** : *journal / journaux, original / originaux*
  Sauf *bals, carnavals, festivals, chacals, récitals, régals, banals, bancals, fatals, natals, navals, finals*
• **Noms** ou **adjectifs en -eu et -au** → pluriel en **-x** : *cheveux, beaux*
  Sauf *pneus, bleus, landaus*
• **Quelques noms en -ou et -ail** → pluriel en **-oux** et **-aux** :
  coraux, travaux, émaux, vitraux, soupiraux (singuliers en *-ail*)
  hiboux, choux, genoux, cailloux, joujoux, bijoux, poux (singuliers en *-ou*)
• **Autres cas particuliers** → *œil / yeux, ciel / cieux*

Je m'entraîne

1 Mets ces GN au pluriel.

　1. le long chemin : ....
　• un film amusant : ....
　2. mon incroyable aventure : ....
　• cette route rapide : ....
　3. le grand méchant loup : ....
　• une petite souris : ....

22

2 Classe les noms et les adjectifs.

■ **1.** grands • prix • gentils • frais • enfants • souris • bois • voix • voies • pois

■ **2.** croix • châteaux • rois • peureux • tapis • amis • nez • fourmis • perdrix

■ **3.** poids • temps • champs • cheveux • heureux • radis • avis • puits • tissus

Pluriel en –s et en –x	Ne changent pas au pluriel

3 Accorde les adjectifs qualificatifs.

■ **1.** enfants **SAGE** : ....

• pois **VERT** : ....

■ **2.** tissus **ROUGE** : ....

• temps **FORT** : ....

■ **3.** pomme et citron **MÛR** : ....

• puits **PROFOND** : ....

*Lorsque le nom a la **même** forme au **singulier** et au **pluriel**, donne les deux adjectifs possibles.*

4 Donne le pluriel de ces noms ou adjectifs.

■ **1.** canal : .... • normal : ....

• banal : .... • rival : ....

■ **2.** régal : .... • original : ....

• chacal : .... • banal : ....

■ **3.** bal : .... • fatal : ....

• naval : .... • récital : ....

5 Complète par *s* ou *x*.

■ **1.** de beau.... chapeau....

• des clou.... dangereu....

■ **2.** des oiseau.... bleu.... • des pneu....

• des chevau.... fou....

■ **3.** des chalumeau.... • des landau....

• des pieu.... • des hibou....

6 Mets ces GN au pluriel.

■ **1.** ce long travail : ....

• le gros bocal : ....

■ **2.** le nouveau vitrail : ....

• un vaisseau spatial : ....

■ **3.** un œil bleu : ....

• un épouvantail : ....

7 Retrouve le singulier de ces noms ou adjectifs.

■ **1.** champs : .... • temps : .... • croix : .... • choux : ....

■ **2.** tissus : .... • héros : .... • bocaux : .... • généraux : ....

■ **3.** yeux : .... • chameaux : .... • cieux : .... • vitraux : ....

8 **JE CONSOLIDE** mon orthographe

Réécris le texte en remplaçant les mots en gras par les mots entre parenthèses.

Sindbad vient d'accoster sur une île déserte : « J'aperçus **un globe** (deux boules), blanc, très haut et très gros. Je m'en approchai : il était doux au toucher. Soudain **un oiseau** (deux colombes) immense au **plumage** (plumes) blanc arriva et se posa dessus. C'était son **œuf** (œufs) qu'il venait couver. »

Coche la couleur que tu as le mieux réussie.

■ Relève de nouveaux défis ! ⟶ exercices 9, p. 24 et 10, 11, p. 25

■ Améliore tes performances ! ⟶ exercices 12, 13, p. 25

■ Prouve que tu es un champion ! ⟶ exercice 14, 15, 16, p. 25

Chacun son rythme

Le féminin des noms et des adjectifs

1. Range-mots **Souligne les mots qui sont obligatoirement féminins.**

lune • immense • rapide • employée • gentille • voile • âge • botte • livre • racine • douce • mince

Comment fais-tu pour reconnaître les noms féminins ? ....

Et les adjectifs féminins ? ....

2. Quiz **Coche les phrases vraies.**

☐ Tous les mots peuvent se mettre au féminin.

☐ Le *e* est souvent utilisé pour former le féminin.

☐ Tous les noms terminés par *e* sont féminins.

☐ Certains noms changent complètement au féminin.

3. Chasse aux intrus **Barre les noms masculins qui ne peuvent pas se mettre au féminin.**

chanteur • jardin • renard • boulanger • livre • directeur • roi • prince • jouet • chat • lion • bateau

4. Pyramide **Complète la pyramide avec des noms ou des adjectifs féminins qui correspondent aux définitions.**

1. Elle n'est pas habillée.
2. Elle brille la nuit.
3. Son mari a dévoré le Petit Chaperon rouge.
4. Elle n'est pas lente.
5. Elle joue un rôle.
6. Elle n'est pas méchante.

Entoure le mot qui peut aussi être un masculin.

5. Méli-mélo **Choisis la bonne terminaison pour compléter les noms ou les adjectifs féminins.**

-euse • -ère • -esse • -enne • -rice • -ce • -se

1. act..............
2. dou..............
3. lycé..............
4. jalou..............
5. berg..............
6. dans..............
7. ân..............

6. Mots mêlés **Retrouve quatre noms et quatre adjectifs féminins dans la grille, puis associe-les pour former quatre GN.**

O	E	T	R	E	V
L	E	L	L	A	B
I	F	I	L	L	E
V	E	U	E	L	B
E	N	U	E	J	G
E	N	I	E	L	P

....
....

7. Méli-mélo **Souligne les noms féminins.**

atmosphère • pétale • musée • haltère • oasis • lycée • jument • guenon • lièvre • astérisque

8. Charade

On joue avec **mon premier**. **Mon deuxième** signifie *achevé*. **Mon troisième** est un terme familier pour désigner un cheveu. **Mon tout** est un adjectif masculin que tu devras mettre au féminin.

....

Au féminin : ....

Le pluriel des noms et des adjectifs

9. Méli-mélo **Souligne les mots qui sont obligatoirement au pluriel.**

croix • voix • chevaux • travaux • noix • feux • pois • rois • perdrix • mois • chapeaux • choux

Comment les reconnais-tu ? ....
....

10. Quiz Coche les phrases vraies.

☐ Le **s** est la lettre la plus utilisée pour former le pluriel.

☐ Les noms ou adjectifs en **-al** ont tous un pluriel en **-aux**.

☐ Les noms ou adjectifs en **-ou** ont presque tous un pluriel en **-oux**.

☐ Certains noms ou adjectifs ne changent pas au pluriel.

11. Jeu de pendu Complète les mots (1 lettre par tiret), puis mets-les au pluriel.

1. Mon É __ __ __ __ __ __ est très utile par cette chaleur.

   PLURIEL ....

2. Le N __ __ __ __ __ __   V __ __ __ __ __ __ de l'église est magnifique.

   PLURIEL ....

3. Le C __ __ __ __ __ __ __ __ aura lieu en février.

   PLURIEL ....

12. Pyramide Complète la pyramide avec des noms ou des adjectifs en -ou au singulier, à l'aide des définitions. Puis mets-les au pluriel.

1. Contraire de *dur*.

2. Se plante avec un marteau.

3. Il hulule la nuit.

4. Il permet de fermer les portes.

5. Utile au Petit Poucet.

Pluriel : ....

Pluriel : ....

Pluriel : ....

Pluriel : ....

Pluriel : ....

13. Lettres mêlées Remets les lettres dans l'ordre pour retrouver un nom singulier, puis mets-le au pluriel.

1. En mai se déroule le LEFASITV .... de Cannes.

   PLURIEL ....

2. Où trouve-t-on le LIOCAR .... ?

   PLURIEL ....

14. Charade

Mon premier est le contraire de *sur*. **Mon deuxième** est une lettre grecque utilisée en mathématiques. Le train se déplace sur **mon troisième** et **mon tout** est une petite fenêtre qui éclaire les pièces en sous-sol.

Quand tu auras trouvé mon tout, tu le mettras au pluriel.

....

Au pluriel : ....

15. Mot caché Remplis cette grille à l'aide des définitions, tu trouveras dans les cases colorées un nom que tu mettras au pluriel.

1. Utile pour ne pas se noyer.
2. Plat qui, dit-on, fait grandir.
3. Pas très intelligent.
4. Brille la nuit.
5. Synonyme de *désir*.
6. Animal qui griffe parfois.
7. Tire le traîneau du père Noël.
8. Saison la plus chaude.
9. Contraire de *bien*.
10. Maison des oiseaux.
11. Céréale qui donne de la farine.

Réponse : ....

Au pluriel : ....

16. Devinette Barre tous les noms et tous les adjectifs au pluriel pour trouver une devinette que tu devras résoudre.

légumebijouxblancchienscommejoujouxneige
régalsclousvertyeuxchampscommetrouspré
châteauxbarbubijouxcommeanimauxchèvre

Devinette : Je suis un ....

....

Qui suis-je ? ....

J'observe

le beau bouquet de fleurs

Encadre le nom noyau et souligne le déterminant. Sont-ils au singulier ou au pluriel ? ....

Relève les deux expansions. .... **Laquelle est au pluriel ?** ....

Peux-tu expliquer pourquoi ? ....

Je retiens

 A **COMMENT S'ACCORDE LE DÉTERMINANT ?**

- Les déterminants s'accordent **en genre et en nombre** avec le nom qu'ils **déterminent**.
- Ils ont en général des **formes différentes** selon **le genre et le nombre** : *la, les ; mon, ma*
- Ces formes peuvent aussi varier si le nom commence par une **voyelle**.
  ce livre, cet endroit ; mon livre (masculin)*, mon écharpe* (féminin)

B **COMMENT S'ACCORDE L'ADJECTIF ÉPITHÈTE ?**

- L'épithète s'accorde **en genre et en nombre** avec le ou les noms auxquels il **se rapporte**.
  une robe verte ; un pull et un pantalon neufs ;
  un pull et un pantalon neuf (ici, seul le pantalon est neuf)

Remarque : si les deux noms sont de **genre différent**, l'adjectif se met au **masculin pluriel**.

 C **COMMENT S'ACCORDE LE COMPLÉMENT DU NOM ?**

- Le complément du nom **ne s'accorde pas** avec le nom qu'il complète, mais **selon le sens**.
  un bouquet de fleurs (on ne peut pas faire un bouquet avec une seule fleur)
  des pots de peinture (c'est une quantité indéfinie de peinture)
- S'il est **suivi d'un adjectif**, l'accord se fait aussi **selon le sens**.
  un livre de contes ancien (le livre est ancien)
  un livre de contes anciens (les contes sont anciens)

Je m'entraîne

1 Accorde le déterminant proposé au masculin singulier avec les noms. Attention, il y a parfois deux réponses possibles.

1. **LE** .... livre • .... élève • .... souris • .... chant • .... champs • .... enfant

2. **MON** .... sac • .... frères • .... choix • .... amie • .... équerre

3. **CE** .... nez • .... endroit • .... écharpe • .... hérisson

26

2 Accorde les adjectifs épithètes dans ces GN.

▪ **1.** une élève (sérieux) .... • une (bon) .... nouvelle
• des films (intéressant) ....

▪ **2.** une voisine (gentil) .... • ma robe (blanc) .... • des routes (sinueux) ....

▪ **3.** des châteaux (féodal) .... • des histoires (banal) .... • une chevelure (roux) ....

3 Accorde les compléments du nom dans ces GN au singulier.

▪ **1.** une pomme (de terre) .... • un moulin (à vent) ....
▪ **2.** un groupe (d'enfant) .... • un chemin (de fer) ....
▪ **3.** un paquet (de bonbon) .... • une foule (de spectateur) ....

4 Barre les adjectifs mal accordés.

▪ **1.** des tablettes de chocolat noires / noir
▪ **2.** des jeux de cartes mélangés / mélangées
▪ **3.** des pots de confiture d'oranges amers / amères / amère

5 Accorde les compléments du nom dans ces GN au pluriel.

▪ **1.** des paires (de gant) ....
• des jeux (de carte) ....
▪ **2.** des touffes (de cheveu) ....
• des vestes (de sport) ....
▪ **3.** des sacs (de ciment) ....
• des tranches (de pain) ....

6 Accorde les mots entre parenthèses.

▪ **1.** une chemise et une cravate (assorti) ....
• une (petit) .... paire de (ciseau) ....
▪ **2.** ces (beau) .... (jet) .... d'(eau) ....
• une (long) .... série de (panneau)
....
▪ **3.** ta (nouveau) .... coupe (de cheveu)
.... • un pull et des chaussettes
(plein) .... de (trou) ....

7 Mets ces GN au pluriel.

Lorsque l'adjectif est placé avant le nom, l'article **des** s'abrège en **de** ou **d'**.

▪ **1.** ce grand garçon : .... • mon film préféré : ....
▪ **2.** une histoire étonnante : .... • un heureux souvenir : ....
▪ **3.** un bel endroit : .... • un petit oiseau bleu : ....

8 **JE CONSOLIDE** mon orthographe

Corrige les accords dans les GN et justifie ta correction.

▪ **1.** **2 FAUTES** un troupeau de vache laitière : ....
....

▪ **2.** **3 FAUTES** cette énorme camion chargé de fruit mûr : ....
....
....

▪ **3.** **4 FAUTES** des tenue de travail adapté aux température élevés : ....
....
....
....

9 Les verbes

ils lisent • partir • parlé • être • nous entendons • tu vas • nous sommes venus • avoir

Classe les verbes.

Verbes conjugués : ....

Verbes non conjugués : ....

Je retiens

 A QU'EXPRIMENT LES VERBES ?

• La plupart des verbes expriment des **actions** : *parler, rire, réfléchir, travailler…*

• Certains verbes servent à apporter des **renseignements sur le sujet** :
nom, métier, qualités, défauts… On les appelle les **verbes d'état** : *être, paraître, s'appeler…*

Verbe d'action ➡ *Ils **regardent** un film.*   **Verbe d'état** ➡ *Ce film **était** passionnant.*

 B QUELLES FORMES PEUVENT PRENDRE LES VERBES ?

1. Les verbes conjugués

• Leurs **terminaisons** varient en **personne**, en **temps** et en **mode**.

    *il chant**e*** (3e pers. sing., présent, indicatif)

    *nous chant**erions*** (1re pers. plur., présent, conditionnel)

    *chant**ez*** (2e pers. plur., présent, impératif)

2. Les verbes non conjugués

• Le **participe** et l'**infinitif** ne se conjuguent pas, mais ont **deux temps** : **présent** et **passé**.

Infinitif ➡ *chanter / avoir chanté*   **Participe** ➡ *chantant / ayant chanté / chanté* (pour les temps composés)

• Le participe s'utilise comme un **adjectif** ou sert à former les **temps composés**.

    *Le Petit Poucet est **étonnant**, il **a aidé** ses frères.*
             (adjectif) (temps composé)

• L'infinitif s'utilise très souvent comme un **nom**.

    *J'aime **lire**.* (= J'aime la lecture)

Je m'entraîne

1 Souligne en bleu les verbes conjugués et en rouge les verbes non conjugués.

   1. laver • racontes • prenais • apportons • viens • chantant • tourneras • vendre

   2. finir • avoir vu • prendront • voyais • être parti • as fini • étant sorti

2 Barre les mots qui ne peuvent pas être des verbes.

   1. jouer • jouet • chanter • beau • rentrer • voir • vivre • savoir • cendre

   2. rater • ruse • ruser • répondre • réponse • verger • partir • départ

3 ▪ Souligne en vert les mots qui sont toujours des formes verbales, en bleu ceux qui peuvent aussi être des noms et barre ceux qui ne peuvent pas être des formes verbales.

revoir • pouvoir • soir • être • dîner • suivre • allée • vallée • partie • arrivée • chantée

4 Souligne les formes verbales conjuguées, puis coche la bonne case.

	VERBE D'ACTION	VERBE D'ÉTAT
1. Elle est partie lundi.	☐	☐
2. Elle semblait heureuse.	☐	☐
3. Tu parais fatigué.	☐	☐
4. Ce journal paraît demain.	☐	☐

> Les verbes **d'état** peuvent toujours être **remplacés** par **être**.

5 Forme les participes présent et passé des verbes.

1. aimer : ....
   • voir : ....
2. aller : ....
   • lire : ....
3. dire : ....
   • naître : ....

• bondir : ....

• ouvrir : ....

• peindre : ....

6 Encadre les participes qui forment un temps composé et souligne ceux qui sont utilisés comme adjectifs.

1. Il a ri, amusé par le film. • Fatigué, il se couche très tôt. • Ils ont bien travaillé.

2. Il est rentré enchanté de son voyage. • Passionné d'archéologie, il est parti en Grèce.

3. Ils sont entrés après avoir sonné. • Ce carrosse est doré. • Armé d'un canif, il a sculpté le bois.

7 **J'APPLIQUE** pour lire

L'*Iliade* et l'*Odyssée* sont deux épopées attribuées à Homère. Dans l'Antiquité, les enfants apprenaient à lire sur ces textes. Le grand conquérant Alexandre voulait imiter les héros homériques. Aujourd'hui, on étudie encore ces œuvres dans les écoles.

a) **Relève quatre verbes conjugués :** ....

b) **Relève deux infinitifs et un participe passé :** ....

c) **Relève un verbe d'état :** ....

8 **J'APPLIQUE** pour écrire

Les héros préférés d'Alexandre étaient les héros homériques. À ton tour, explique qui est ton héros préféré et justifie ton choix. Tu peux choisir un personnage historique ou imaginaire (personnage de livre, de film ou de BD).

Consigne
• 5 lignes
• 2 verbes d'état
• 3 verbes d'action

Coche la couleur que tu as le mieux réussie.
☐ Relève de nouveaux défis ! ⟶ exercices 1, 2, 3, p. 32
▪ Améliore tes performances ! ⟶ exercices 4, 5, 6, p.32
▪ Prouve que tu es un champion ! ⟶ exercices 7, 8, p. 32

Chacun son rythme

10 L'analyse d'un verbe conjugué

J'observe

vous chantez • il chante • nous chantions • je chantais • chante

Recopie la partie du verbe qui ne change pas dans les formes ci-dessus : ....

Comment s'appelle la partie qui change ? ....

Je retiens

 A DE QUOI UN VERBE EST-IL CONSTITUÉ ?

• Un verbe est constitué du **radical** (partie **fixe**) et de la **terminaison** (**variable**).

  *je chant**e**, nous chant**ons***

  radical + **terminaison**

 B COMMENT RECONNAÎT-ON LE GROUPE ?

• **1er groupe :** infinitif en **er**, sauf *aller* : *chanter, rêver*

• **2e groupe :** infinitif en *ir* et participe présent en *-issant* : *finir, finissant ; bondir, bondissant*

• **3e groupe :** tous les autres verbes : *aller, partir, voir, prendre*

 C COMMENT RECONNAÎT-ON LE TEMPS ?

• Pour les **temps simples** qui comportent **un seul mot**, on isole le radical et on observe la **terminaison** (mode, temps, personne).

  *je chant**e*** (terminaison de l'indicatif présent à la 1re pers. du sing.)

  *il chant**ait*** (terminaison de l'indicatif l'imparfait à la 3e pers. du sing.)

• Pour les **temps composés** (auxiliaire *avoir* ou *être* + **participe passé**), on observe la **terminaison de l'auxiliaire**.

  *j'**ai** chanté* (auxiliaire au présent = passé composé)

 D COMMENT RECONNAÎT-ON LA PERSONNE ?

• On repère les **pronoms personnels sujets** *(je, tu, il...)* ou le **GN sujet**.

  ***tu** chantais* (2e pers. du sing.)   ***les enfants** chantent* (3e pers. du plur.)

• On observe **les terminaisons**.

  *-**ais*** (2e pers. du sing.)   *-**ent*** (3e pers. du plur.)

Je m'entraîne

1 Souligne la terminaison des verbes.

  1. trouver • servir • cultivons • regardent • blanchir • riez • veniez • allais • chantes

  2. revenir • finir • finissons • ramassiez • venir • viennent • plaçai • reçus • étions

  3. vouloir • veux • recevoir • reçu • fais • ferons • aller • irai • sont • avaient • plia

2 Encadre les radicaux dans les formes verbales suivantes.

▢ **1.** je finis • nous finissons • vous voyiez

▨ **2.** il doit • nous devons • ils essaient • tu ris

▩ **3.** je viens • nous venons • il ira • vous allez
• je vais • je faisais • elles feront

3 Souligne en vert les verbes du 1er groupe, en rouge ceux du 2e et en bleu ceux du 3e.

▢ **1.** manger • guérir • sentir • appeler • courir

▨ **2.** poursuivre • partir • écouter • surgir • bondir

▩ **3.** avaler • aller • vouloir • goûter • dire • finir
• franchir • servir • mentir • rôtir • savoir

4 Souligne en bleu les temps simples et en rouge les temps composés.

▢ **1.** il joue • nous avons travaillé • tu riais • vous irez • ils avaient appris • viens • ils auront pris

▨ **2.** tu venais • partir • travaillant • ils auront vu • nous étions partis • j'entendis • ils sont nés

▩ **3.** avoir vu • il est allé • ayant voulu • tu avais cru • je saurai • tu avais • prenant • il fut allé

5 Souligne dans chaque liste les verbes appartenant au même temps composé.

Observe bien le temps de l'auxiliaire !

▢ **1.** j'ai pris • il avait entendu • nous aurons vu
• ils ont travaillé • nous avons fait

▨ **2.** tu as fait • il avait entendu • nous aurons écrit • tu avais su • vous étiez partis

▩ **3.** il eut pris • tu as chanté • nous fûmes partis
• il aura achevé • ils eurent joué

6 Indique la personne des verbes suivants.

▢ **1.** je cours : .... • tu regardes : ....
.... • nous voyons : ....
• les enfants écoutent : ....

▨ **2.** Julie sait : .... • allons : ....
.... • ils viennent : ....
• tu sors : ....

▩ **3.** regarde : .... • venez : ....
.... • Paul pourrait : ....
• cours : ....

7 Complète le tableau pour chaque forme verbale.

Formes verbales	Groupe	Radical	Terminaison	Personne
▢ vous portez				
▨ ils finiraient				
▩ partons				

8 📘 **J'APPLIQUE** pour lire

L'*Iliade* et l'*Odyssée* sont des œuvres très anciennes. On pense qu'Homère en est l'auteur. On a écrit beaucoup de légendes à son sujet : il aurait été un aède aveugle. Les aèdes parcouraient la Grèce en racontant des histoires.

a) Recopie la forme soulignée en isolant le radical et la terminaison : ....

b) Relève deux verbes à un temps simple : ....
et deux verbes à un temps composé : ....

c) Trouve dans le texte deux verbes du 1er groupe : ....
....

9 📘 **J'APPLIQUE** pour écrire

Les aèdes allaient de ville en ville pour raconter des histoires. Quand tu étais plus jeune, quelle histoire t'a le plus marqué ? Raconte pourquoi tu l'appréciais particulièrement.

Consigne
• 5 phrases
• 3 verbes à un temps simple
• 2 verbes à un temps composé

Chacun son rythme

Coche la couleur que tu as le mieux réussie.

▢ Relève de nouveaux défis ! ➜ exercices 9, 10, 11, p.33

▨ Améliore tes performances ! ➜ exercices 12, 13, 14, p.33

▩ Prouve que tu es un champion ! ➜ exercices 15, 16, p.33

Chacun son rythme

Les verbes

■ **1.** Cache-cache **Souligne les verbes.**

oiseau • chanter • avoir • être • travail • entendre
• loin • riche • enfant • lire • livre • facile • faciliter
• voir • vision • devenir • rêver

Comment as-tu reconnu les verbes ?

....

■ **2.** Range-mots **Classe les formes verbales.**

manger • buvons • pensé • attrapes • être • ayant l'air
• rangeait • entendu • sourire • ris • s'appelle • sembla
• devenir • arrivé • partir • retenu

Verbes d'action	Verbes d'état

Ensuite, souligne en rouge les participes, en bleu les infinitifs et en vert les verbes conjugués.

Comment as-tu reconnu les infinitifs ?

....

■ **3.** Quiz **Coche la ou les bonnes réponses.**

Sourire est :

☐ toujours un verbe.

☐ un verbe ou un adjectif.

☐ toujours un nom.

☐ un verbe ou un nom.

■ **4.** Lettres mêlées **Remets les lettres en ordre pour retrouver deux verbes exprimant des sentiments contraires.**

1. ORRDAE : ....

2. EEETTDSR : ....

3. ARREDICN : ....

4. RESEPRE : ....

■ **5.** Chasse aux intrus **Dans chaque liste barre l'intrus et justifie ton choix.**

1. il chante • chanté • je voulais • tu viendras : ....
....
....

2. lire • venu • prendre • je chantais • fait : ....
....
....

3. prendre • courir • chanter • être : ....
....
....

■ **6.** Devinette **Barre tous les verbes à l'infinitif et au participe présent pour trouver l'énoncé d'une devinette que tu devras résoudre.**

quelapportantanimalvenirenétant6partant
lettresasseoircomportearriver5lisantvoyelles
retirerdifférentesconjuguantetsachantune
apprendreconsonne ?

Devinette : ....
....

Réponse : ....

■ **7.** Pyramide **Complète cette pyramide à l'aide de verbes de sens contraire.**

1. pleurer
2. pousser
3. ignorer
4. blanchir
5. rapprocher
6. perdre

■ **8.** Charade

Mon premier est un rongeur. **Mon deuxième** coule dans les veines. On fait de la farine avec **mon troisième**. **Mon tout** est un verbe qui réunit.

....

L'analyse d'un verbe conjugué

9. *Découpage* **Isole par un trait les radicaux et les terminaisons des verbes suivants.**

tu chantais • travailler • nous buvons • ils entendent
• vous savez • tu sais • accepté

10. *Range-verbes* **Classe les verbes suivants dans la bonne colonne.**

dire • chanter • poursuivre • finir • choisir • unir • cueillir
• sentir • voir • rire • coudre • ramasser • aplatir

1er groupe	2e groupe	3e groupe

11. *Quiz* **Coche la ou les bonnes propositions.**

☐ Il existe 3 groupes de verbes.

☐ Tous les verbes en *ir* sont du 2e groupe.

☐ Il y a deux catégories de temps : simples et composés.

☐ Les temps composés sont constitués de l'auxiliaire *avoir* et d'un participe passé.

12. *Méli-mélo* **Relie le pronom personnel et le radical du verbe à la bonne terminaison.**

je fin •   • t

nous plaç •   • ent

tu joue •   • is

vous cour •   • ons

elle par •   • s

ils peuv •   • ez

13. *Jeu de pendu* **Retrouve les verbes conjugués (1 lettre par tiret).**

1. Ne vous É __ __ __ __ __ __ Z pas du bord !

2. Nous A __ __ __ S P__ __ __ __ __ __ __U
   huit kilomètres en une heure !

3. Ils R __ __ __ __ __ __ T les félicitations du jury.

4. Tu ne M'A __ __ __ S pas R __ __ __ __ __ __U ?

14. *Message secret* **Dans ce message secret, retrouve 4 verbes conjugués à des temps simples ou composés, souligne-les puis utilise-les pour compléter les phrases.**

wdrtpartixhiavonsjshuitestdetrarejoindra
hujrécupérezqahirecueilli

Pour les temps composés, les **auxiliaires** sont séparés des **participes passés**.

L'agent OX .... ce matin. Il vous ....
vite. Nous .... déjà .... tous
les indices nécessaires, ... les statuettes !

15. *Chasse aux intrus* **Barre l'intrus dans chaque liste, puis justifie ton choix.**

1. il chante • nous jouons • vous vouliez • venir
   • tu pars : ....
   ....
   ....

2. nous parlons • vous emportez • allez • j'ai fini
   • chante : ....
   ....
   ....

3. avoir fini • j'avais cru • ayant apporté • il partit
   • nous avons entendu : ....
   ....
   ....

16. *Verbes mêlés* **Retrouve dans la grille cinq participes passés qui te permettront de compléter les formes verbales.**

1. Elle n'a pas .... quoi dire.
2. Elle a .... une mauvaise route.
3. Paul est .... me dire bonjour.
4. Elle a .... son téléphone.
5. Julie est .... en Angleterre.

P	E	R	D	U
R	A	V	T	H
I	V	S	R	J
S	G	Z	S	U
A	L	L	E	E

11 Le présent de l'indicatif et de l'impératif (1er groupe)

J'observe

je joue, tu joues, il joue, nous jouons, vous jouez, ils jouent • jouons

Quelle voyelle est présente dans cinq terminaisons ? ....

À quelle personne disparaît-elle ? ....

Quel élément n'est pas présent dans la forme verbale en violet ? ....

Je retiens

A LES TERMINAISONS DU PRÉSENT DES VERBES DU 1ER GROUPE

- À l'**indicatif**, les terminaisons sont : *-e, -es, -e, -ons, -ez, -ent*

    je chante, tu danses…

- À l'**impératif**, les terminaisons sont : *-e, -ons, -ez*

    joue, jouons, jouez

Remarque : à la 2e personne du singulier, on ajoute un *s* si le verbe est suivi de *en* ou *y*, afin de faciliter la prononciation : *parle, parles-en*

B QUAND LE RADICAL DU VERBE CHANGE-T-IL ?

Radical	Modification	Exemples
• finit par un *c*	*c* → *ç* à la 1re personne du pluriel	*je place, nous plaçons*
• finit par un *g*	*g* → *ge* à la 1re personne du pluriel	*je mange, nous mangeons*
• finit par un *y*	*y* → *i* sauf à la 1re et 2e personne du pluriel (pas obligatoire pour les verbes en *-ayer*)	*je nettoie, nous nettoyons je paie* (ou *je paye*)
• *é* ou *e* dans la **dernière syllabe**	*é* ou *e* → *è* sauf à la 1re et 2e personne du pluriel	*je sème, nous semons j'espère, nous espérons*

Autres exceptions : les verbes comme *jeter* (sauf *acheter*) et *appeler* (sauf *geler*).

je jette, nous jetons   *j'appelle, nous appelons*   mais   *j'achète, il gèle*

▶ Tableaux de conjugaison complets, p. 126.

Je m'entraîne

1 Complète par le ou les pronoms personnels corrects.

1. .... penses • .... jouons • .... pliez • .... apprécient

2. .... essaient • .... sèmes • .... plaçons • .... mangeons

3. .... regarde • .... réglez • .... écoutent • .... paye

2 Choisis la ou les bonnes réponses.

☐ **1.** ils chant e / es / ent • tu rêv e / ent / es
• je pleur es / e / ent • elle écout ent / e / es

☐ **2.** elle jou e / es / s • elle essa ies / ie / ye / yent
• tu pli s / e / es • elles pla ce / çe / cent / çent

■ **3.** elle les aim e / ent / es • elle rappel e / es / le / lent
• tu netto ie / ies / ye / yes • nous rang ons / eont / eons

3 Conjugue ces verbes au présent de l'impératif.

☐ **1.** danser : ....
• plier : ....

☐ **2.** créer : ....
• placer : ....

■ **3.** lever : ....
• essuyer : ....

4 Conjugue aux personnes du présent de l'indicatif demandées.

remuer	ranger	envoyer
je	il, elle	tu ....
tu	nous	nous ....
ils, elles	vous	ils, elles ....

5 Transpose à l'impératif ces présents de l'indicatif.

Quand les pronoms personnels compléments se placent **après** le verbe, on ajoute un **trait d'union**.

☐ **1.** nous chantons : .... • vous regardez : .... • nous les écoutons : ....

☐ **2.** tu la regardes : .... • tu les appelles : .... • vous nous parlez : ....

■ **3.** tu m'étonnes : .... • tu y rentres : .... • tu y penses : ....

6 Conjugue au présent de l'indicatif, à la personne indiquée.

Attention aux **accents** et aux **consonnes** *l* et *t* !

☐ **1.** créer : je .... • exagérer : vous .... • régler : nous ....

☐ **2.** parsemer : tu .... • céder : tu .... • lever : elle ....

■ **3.** révéler : je .... • étinceler : elle .... • projeter : je ....

7 Mets ces phrases à la même personne du singulier ou du pluriel.

Attention, d'**autres mots** que le verbe et son sujet **peuvent changer**.

☐ **1.** Tu marques la date. ....

☐ **2.** Pliez votre serviette. ....

■ **3.** Nous renouvelons notre passeport. ....

JE CONSOLIDE mon orthographe

8 Réécris ce texte en mettant les verbes au présent de l'indicatif.

Au début de l'*Iliade*, Agamemnon a provoqué la colère d'Achille qui s'est retiré dans sa tente et a refusé de continuer le combat. Thétis, la mère d'Achille, a demandé à Zeus de punir Agamemnon. Le dieu lui a envoyé un rêve trompeur qui l'a poussé à livrer bataille.

9 Mets les verbes soulignés au présent de l'impératif (à la même personne).

Zeus envoie un songe à Agamemnon : « Tu armeras tes guerriers, tu les emmèneras au pied des remparts, vous attaquerez la ville et remporterez la victoire. Les dieux vous protègent. »

Coche la couleur que tu as le mieux réussie.
☐ Relève de nouveaux défis ! ⟶ exercices 1, 2, p. 40
☐ Améliore tes performances ! ⟶ exercices 3, 4, p. 40
■ Prouve que tu es un champion ! ⟶ exercices 5, 6, p. 40

Chacun son rythme

12 Le présent de l'indicatif et de l'impératif (2e et 3e groupes)

J'observe

je grandis, tu viens, je reçois

Transpose ces verbes au pluriel : ....

As-tu conservé le même radical ? ....

Je retiens

 A LES TERMINAISONS DU PRÉSENT DE L'INDICATIF (2E ET 3E GROUPES)

- Pour la **majorité des verbes** : *-s, -s, -t, -ons, -ez, -ent*

    je vis, nous vivons

- Pour les verbes du **2e groupe**, le **radical** est **en *-iss*** au pluriel.

    je grandis, nous grandissons

- Certains verbes du **3e groupe** ont **deux ou trois formes de radical**.

    je viens, nous venons, ils viennent ; je reçois, nous recevons

B CAS PARTICULIERS

- *Pouvoir, vouloir, valoir* → *-x* à la 1re et à la 2e personne du singulier : *je peux, tu veux, je vaux*

- *Dire* et *faire* → *-tes* à la 2e personne du pluriel : *vous dites, vous faites*

- *Offrir, ouvrir, cueillir* → comme les verbes du **1er groupe** : *j'offre, nous ouvrons, tu cueilles*

- Verbes en *-dre* → *-ds, -ds, -d* au singulier (sauf verbes en *-indre* et *-soudre*) : *je prends, il vend* ≠ *je peins*

- *Être*, *avoir* et *aller* sont irréguliers.

▶ Tableaux de conjugaison complets, p. 126 à 128.

 C LES TERMINAISONS DU PRÉSENT DE L'IMPÉRATIF (2E ET 3E GROUPES)

- Pour la **majorité des verbes**, les terminaisons sont les mêmes qu'à l'**indicatif** : *-s, -ons, -ez*

    prends, prenons, prenez

- **Cas particuliers :**

    – les verbes **au présent en *-e*** et *aller* → **pas de s au singulier** : *ouvre ; va*

    – les verbes *être, avoir* et *savoir* : *sois, soyons, soyez ; aie, ayons, ayez ; sache, sachons, sachez*

Je m'entraîne

1 Complète ces verbes au présent de l'indicatif.

1. je par......... • tu vien......... • il tien......... • nous recev......... • ils disparaiss.........
2. je veu......... • tu prend......... • nous fai......... • vous entend......... • ils pren.........
3. je vau......... • tu croi......... • il veu......... • vous di......... • vous fai.........

2 Conjugue ces verbes au présent de l'impératif.

1. bondir : .... • voir : ....

2. partir : .... • venir : ....

3. recevoir : .... • mettre : ....

3 Conjugue au présent de l'indicatif, aux personnes demandées.

saisir	courir	venir
je	tu	je ....
il, elle	il, elle	nous ....
nous	ils, elles	ils, elles ....

4 Mets ces formes au singulier en conservant la même personne.

Les verbes en *-aître* ont un accent **circonflexe** si le *i* est suivi d'un *t*.

1. nous disparaissons : .... • ils veulent : .... • ils font : ....

2. nous prenons : .... • vous mettez : .... • ils craignent : ....

3. nous peignons : .... • ils paraissent : .... • vous mourez : ....

5 Transpose à l'impératif ces présents de l'indicatif.

1. tu bondis : .... • nous sortons : .... • vous vendez : ....

2. tu la suis : .... • tu vas : .... • vous êtes : ....

3. tu le sais : .... • tu les as : .... • tu en cueilles : ....

6 Ajoute la bonne terminaison.

1. je pli......... • tu vi......... • il salu......... • elle jou......... • tu éternu.........

2. il bâti......... • il rempli......... • tu écri......... • je conclu......... • tu distribu.........

3. tu exclu......... • tu remu......... • il éli......... • tu li......... (un livre) • tu reli......... (deux points)

Si tu hésites, cherche l'**infinitif** ! *j'éternue (éternuer), je conclus (conclure)*

7 **J'APPLIQUE** pour lire

La guerre fait rage, Pâris apparaît devant Ménélas, le mari d'Hélène. [Celui-ci le reconnaît, se réjouit et se promet de le punir.] Pâris, d'abord effrayé, se ressaisit et dit : « Battez-vous contre moi ! » Mais très vite les Grecs et les Troyens font le serment de ne plus se battre.

a) Souligne les verbes conjugués au présent de l'indicatif : 2e groupe en rouge, 3e groupe en bleu.

b) Relève un impératif, puis transpose-le au singulier : ....

c) Réécris la phrase entre crochets en remplaçant *celui-ci* par *ceux-ci* : ....

....

8 **J'APPLIQUE** pour écrire

Raconte au présent un combat spectaculaire que tu as vu dans un film ou dont tu as lu le récit dans un livre.

Consigne
• 5 lignes
• 5 verbes du 2e et 3e groupes

Coche la couleur que tu as le mieux réussie.

Relève de nouveaux défis ! → exercices 7, 8, p. 40

Améliore tes performances ! → exercice 9, p. 40

Prouve que tu es un champion ! → exercices 10, 11, p. 41

Chacun son rythme

37

13 L'emploi du présent dans un récit

En ce moment, je **me promène** sur la plage. •

L'*Odyssée* **raconte** le retour d'Ulysse à Ithaque.•

• Action qui sera toujours vraie.

• Action qui se déroule en ce moment.

Relie les phrases à la situation qui convient au verbe en gras.

Je retiens

A LE PRÉSENT DANS UN RÉCIT AU PRÉSENT

• Le **présent d'actualité** :

– action ou situation en cours : *Il **regarde** la télé. Je **suis** en cours.*

– description : *Le ciel **est** bleu, la mer **est** calme.*

– habitude : *Tous les matins, je **me lève** à 7 heures.*

• Le **présent de vérité générale** exprime des faits **toujours vrais**, quelle que soit l'époque.

*Le cheval **est** un mammifère.*

B LE PRÉSENT DANS UN RÉCIT AU PASSÉ

• Le **présent de vérité générale** : *Nous arrivâmes au pied du mont Blanc : le mont Blanc **est** le point culminant de l'Europe.*

• Le **présent de narration** remplace le passé simple pour **mettre en valeur** une action importante.

*Il se promenait tranquillement : soudain un chien lui **saute** dessus.*

Je m'entraîne

1 Indique si ces présents d'actualité correspondent à une action ou à une description.

	ACTION	DESCRIPTION
1. En ce moment, j'assiste à un match de foot.	☐	☐
2. Mon chat est gris avec des pattes blanches.	☐	☐
3. Le train entre en gare.	☐	☐
4. La maison est toute petite, son toit est en chaume.	☐	☐
5. Est-ce que je te dérange ?	☐	☐
6. Le collège est un bâtiment de pierre entouré de grands arbres.	☐	☐

2 Souligne en bleu les présents exprimant une situation en cours
et en rouge les présents d'habitude.

    1. Le matin, je prends des céréales.   • J'habite en France depuis ma naissance.

    2. Je commence tous les jours à huit heures.   • Ma mère est infirmière.

    3. Je fais du tennis et du foot.   • Chaque week-end, je pars à la campagne.

3 Souligne en vert les présents de narration et encadre les présents de vérité générale.

    1. L'eau bout à 100 degrés. • Je ne m'y attendais pas du tout : il arrive en courant et m'embrasse.

    2. Je dormais bien : soudain une lumière m'aveugle. • Les vaches sont des ruminants.

    3. Les dents de lait tombent à six ans. • Poséidon, son ennemi, déclenche une énorme tempête.

4 Relie chaque présent à sa valeur.

    1. Je t'entends mal, on ne capte pas ici.   •   • vérité générale

    2. Le mont Blanc est le sommet de l'Europe.   •   • actualité

    3. Il était en tête de la course quand, soudain, il tombe.   •   • narration

5 Conjugue les verbes au présent puis classe-les.

Un des épisodes les plus connus de l'*Odyssée* **ÊTRE** .... celui des sirènes. Ulysse venait d'être libéré par Circé, il voguait tranquillement avec ses compagnons. Soudain, il **S'ARRÊTER** .... et leur **DIRE** .... : « Mes amis, je vous **AVERTIR** ...., les sirènes **ÊTRE** .... des monstres qui, par leurs chants, **ATTIRER** .... les marins sur des récifs et les **DÉVORER** .... quand leurs navires se sont brisés.

actualité	vérité générale	narration
....	....	....
....	....	....

6 **J'APPLIQUE** pour lire

TEXTE 1 En ce moment, je lis l'*Odyssée*. Ce texte très ancien est l'œuvre d'Homère.

TEXTE 2 Ulysse retrouva enfin son île d'Ithaque. Il arriva déguisé en mendiant, personne ne le reconnut :
– Entre, étranger, déclara son serviteur Eumée, nous t'offrons l'hospitalité.
Mais soudain, son chien Argos lève l'oreille et tourne la tête : lui seul a reconnu son maître.

D'après Homère, *Odyssée* (VIIIᵉ s. av. J.-C.).

a) Quelle est la valeur du présent en gras dans le texte 1 ? ....

b) Dans quel texte est employé le présent de narration ? ....
Souligne le ou les verbes concernés.

c) Quelle est la valeur du présent du second verbe du texte 1 ?

....

Coche la couleur que tu as le mieux réussie.
☐ Relève de nouveaux défis ! ⟶ exercices 12, 13, p. 41
☐ Améliore tes performances ! ⟶ exercices 14, 15, p. 41
☐ Prouve que tu es un champion ! ⟶ exercices 16, 17, p. 41

Chacun son rythme

Chacun son rythme

Le présent de l'indicatif et de l'impératif (1er groupe)

1. Quiz Coche les phrases vraies.

Au présent de l'indicatif et de l'impératif, les verbes du 1er groupe ont des terminaisons :

☐ commençant toutes par *e*.

☐ commençant toutes par *e* sauf une.

☐ identiques à toutes les personnes.

☐ identiques sauf à la 2e personne du singulier.

2. Chasse aux intrus Barre les formes verbales qui ne sont pas des impératifs.

rentre • appelons • chantes • dansez • espèrent • espérons • rêvez • étonnent • résume • changes • mélangez • commence • regardent

3. Jeu de pendu Retrouve les verbes de ces phrases (1 lettre par tiret).

Indice : ils sont du 1er groupe et conjugués au présent !

1. R __ __ __ __ ta chambre avant de partir.

2. Vous R __ __ __ __ __ __ d'être surpris par la pluie.

3. Tu S __ __ __ __ __ __ __ inquiet !

4. Pyramide Complète la pyramide par des verbes du 1er groupe synonymes des verbes donnés. Conjugue-les à la 1re personne du singulier du présent.

1. attache
2. s'amuse
3. met en ordre
4. abandonne
5. rend propre

5. Charade

Mon premier est un aliment très consommé en Asie. **Mon deuxième** est l'ancien nom de la France. **Mon troisième** est la terminaison de la 1re personne du pluriel de l'impératif de **mon tout** qui n'aime pas les gens tristes.

....

6. Lettres mêlées Remets en ordre les lettres de ces infinitifs, puis conjugue-les au présent de l'indicatif ou de l'impératif pour compléter les phrases.

1. R S E P E R E ➜ ....

Nous .... vous revoir bientôt.

2. G R R A E R E D ➜ ....

.... toi dans le miroir.

3. N E G A M E D E R ➜ ....

Nous .... bientôt en Chine.

Le présent de l'indicatif et de l'impératif (2e et 3e groupes)

7. Quiz Coche les phrases vraies.

Au présent de l'indicatif et de l'impératif, les verbes du 3e groupe :

☐ ont presque tous les mêmes terminaisons.

☐ conservent toujours le même radical.

☐ ont parfois des terminaisons en -*e*.

☐ n'ont jamais de terminaisons en -*e*.

8. Pyramide Complète cette pyramide à l'aide de verbes du 3e groupe à l'impératif, ayant le sens contraire des verbes donnés.

1. pleure
2. reste
3. ferme
4. laisse

9. Méli-mélo Entoure le verbe qui convient à chaque phrase, puis conjugue-le au présent de l'indicatif ou de l'impératif pour la compléter.

1. **RUGIR / PARTIR / OFFRIR**

Nous .... chaque année en Angleterre.

2. **PRENDRE / FAIRE / SUIVRE**

.... vos devoirs.

3. **DORMIR / POURSUIVRE / BOIRE**

Mon chat .... une souris.

■ **10.** Message secret **Dans ce message secret, retrouve cinq verbes à l'infinitif, souligne-les, puis conjugue-les au présent pour compléter le dialogue.**

> uneattendre êtrexhrnqsdzaarriverk
>
> louyalalleroihrrejoindretvxatuihnza

– Allô ? J'................................ depuis une heure !

Vous .... où ?

– On .... …

– Dépêchez-vous ! Le bus .... partir !

– Prends-le, on te .... là-bas !

■ **11.** Devinette **Barre tous les impératifs. Avec les mots restants, tu trouveras l'énoncé d'une devinette à laquelle tu devras répondre.**

> qu'viensestvarestetrouvecequiparsprendsestjaune
> cherchesorteztoutpetitdonnetiensetquifaitesfaitcrac
> jouezriezcroclisezfuyezcracrentre ?

Devinette : ....

....

Réponse : ....

L'emploi du présent dans un récit

■ **12.** Verbes à la loupe **Souligne en bleu les présents d'actualité et en rouge les présents de vérité générale.**

1. En ce moment, je suis à la campagne.

2. Les feuilles tombent en automne.

3. Paris est la capitale de la France.

4. Nous assistons en direct à l'arrivée de la course.

5. Homère est l'auteur de l'*Odyssée*.

Comment reconnais-tu les présents de vérité générale ?

....

■ **13.** Charade

Mon premier désigne une partie d'une pièce de théâtre. **Mon deuxième** est une voyelle. **Mon troisième** se dit de quelqu'un qui reste couché dans son lit. **Mon tout** est une valeur du présent.

....

■ **14.** Range-phrases **Classe les numéros de ces phrases selon la valeur du présent.**

1. Il vient tous les jours.

2. Le soleil se lève à l'est.

3. « Je suis chez moi. »

4. Il faisait beau, tout à coup le soleil se cache.

5. L'eau gèle à 0°.

Narration : .... Actualité : ....

Vérité générale : ....

■ **15.** Casse-tête **Barre tous les verbes au présent et remets en ordre les syllabes restantes pour retrouver deux valeurs du présent.**

> chantelitéfinissonsactprenezuadanses
> narêtestionviennentraavons

....

....

■ **16.** Labo des mots **Complète ce tableau.**

Phrases	Valeurs des présents d'actualité
1. Il vient me voir tous les jours.	....
2.	description
3. Je suis actuellement en vacances.	....
4.	action en cours

■ **17.** Devinette **Barre les valeurs du présent pour trouver une devinette que tu devras résoudre.**

> actualitéquelnarrationanimalvéritégénérale
> aleplus habitudededescriptiondents

Devinette : ....

Réponse : ....

14 L'imparfait de l'indicatif

J'observe

il partait, il entendait, il grandissait • nous chantions, nous finissions

Les verbes ci-dessus appartiennent-ils au même groupe ? ....

Ont-ils les mêmes terminaisons ? ....

Je retiens

A COMMENT FORME-T-ON L'IMPARFAIT ?

- Pour **tous les groupes**, les terminaisons sont : *-ais, -ais, -ait, -ions, -iez, -aient*

  *je chant**ais**, il pren**ait***

- On utilise le radical de la **1re personne du pluriel du présent**.

  | *tu dansais* | *tu finissais* | *nous venions* | *ils savaient* |
  | (nous **dans**ons) | (nous **finiss**ons) | (nous **ven**ons) | (nous **sav**ons) |

  ⚠ Les terminaisons *-ions* et *-iez* s'ajoutent aussi aux radicaux en *-y* ou *-i*.

  *nous voy**ions**, vous croy**iez**, nous cri**ions**, vous pli**iez***

B CAS PARTICULIERS

- Le **verbe *être*** est formé sur le radical *ét-* : *j'étais, tu étais, il était...*
- Les **verbes en *-cer*** prennent une **cédille**, sauf aux deux 1res personnes du pluriel : *elle pinçait*
- Les **verbes en *-ger*** prennent un *e*, sauf aux deux 1res personnes du pluriel : *je nageais*

▶ Tableaux de conjugaison complets, p. 126 à 128.

Je m'entraîne

Attention, parfois plusieurs réponses sont possibles !

1 Complète avec le ou les pronoms personnels qui conviennent.

■ **1.** .... aimait • .... prenaient • .... allions • .... pouviez

■ **2.** .... dansions • .... finissais • .... pensiez • .... avait

■ **3.** .... étais • .... voyiez • .... croyais • .... partait

2 Complète ces verbes à l'imparfait.

■ **1.** je chant......... • il jou......... • nous voul......... • vous fini......... • elles pren.........

■ **2.** tu grandi......... • il mang......... • nous cri......... • vous entend......... • vous croy.........

■ **3.** nous faibli......... • tu boug......... • nous pli......... • vous voy......... • elles ri.........

3 Conjugue ces verbes à l'imparfait aux personnes demandées.

saisir	rire	foncer
je	il, elle	je ....
il, elle	nous	nous ....
vous	vous	ils, elles ....

4 Conjugue à l'imparfait à la 1re et à la 2e personne du pluriel.

☐ **1.** jouer : .... • habiller : ....

☐ **2.** étudier : .... • payer : ....

☐ **3.** copier : .... • exclure : ....

5 Transpose ces verbes du 3e groupe à l'imparfait.

N'oublie pas que l'imparfait se forme sur le **radical** de la **1re personne du pluriel du présent** !

☐ **1.** tu mets : .... • il vient : .... • il voit : ....

☐ **2.** je prends : .... • tu atteins : .... • je crains : ....

☐ **3.** je peux : .... • il connaît : .... • ils boivent : ....

6 Mets tous les mots de ces phrases au pluriel.

☐ **1.** Tu attendais ton amie. ....

☐ **2.** J'appréciais beaucoup ce garçon. ....

☐ **3.** De là où j'étais, je ne te voyais pas. ....

7 **J'APPLIQUE** pour lire

Pâris n'était plus là ! La foule s'impatientait et voulait éclaircir ce mystère. Agamemnon déclara : « C'est clair ! La victoire appartient aux Grecs ! Ils doivent rendre Hélène. »

a) Souligne les trois verbes à l'imparfait.

b) Transpose-les à la 1re personne du pluriel : ....

....

....

c) Réécris les paroles d'Agamemnon à l'imparfait : ....

....

....

....

8 **J'APPLIQUE** pour écrire

À ton tour, imagine une petite scène où un personnage prend la parole pour calmer un groupe qui s'impatiente.

Consigne

• 5 lignes

• un dialogue

• 3 verbes à l'imparfait

Coche la couleur que tu as le mieux réussie.

☐ Relève de nouveaux défis ! ⟶ exercices 1, 2, p. 48

☐ Améliore tes performances ! ⟶ exercice 3, p. 48

☐ Prouve que tu es un champion ! ⟶ exercices 4, 5, p. 48

Chacun son rythme

43

15 Le passé simple de l'indicatif

il surgit, il entra, il courut, il vint, il chanta.

Relève les deux verbes qui ont la même terminaison : ....

À quel groupe appartiennent-ils ? ....

À quels groupes appartiennent les autres verbes ? ....

Je retiens

 A LES TERMINAISONS DU PASSÉ SIMPLE

	Terminaisons	Exemples
Verbes du **1er groupe** + verbe ***aller***	***-ai, -as, -a, -âmes, -âtes, -èrent***	*je plaçai, tu rassemblas, il mangea, il alla*
Verbes du **2e groupe** + certains verbes du **3e groupe**	***-is, -is, -it, -îmes, -îtes, -irent***	*je finis, il vit*
Verbes du **3e groupe** (sauf *tenir, venir* et leurs composés) + ***avoir*** et ***être***	***-us, -us, -ut, -ûmes, -ûtes, -urent***	*je courus, je reçus j'eus, il fut*
Tenir, venir et leurs composés	***-ins, -ins, -int, -înmes, -întes, -inrent***	*je vins, il tint*

B QUELS RADICAUX SONT UTILISÉS ?

- Les **verbes des 1er et 2e groupes** → le **radical** de l'**infinitif** : *il chanta, il finit*
- Les **verbes du 3e groupe** → soit le **radical** de l'**infinitif** : *il partit*
  → soit un **radical modifié** : *je reçus, j'écrivis, il vit*

Exceptions : ***vivre*** et ***naître*** : *je vécus, je naquis*

▶ Tableaux de conjugaison complets, p. 126 à 128.

Je m'entraîne

N'oublie pas le *e* pour les verbes en *-ger* avant les terminaisons en *-a* !

1 Complète ces verbes des 1er et 2e groupes au passé simple.

■ **1.** je chant.......... • tu jou.......... • il pli..........
 • nous fin.......... • ils écout..........

■ **2.** je surg.......... • tu chang.......... • il sais..........
 • vous all.......... • elles déplac..........

■ **3.** j'arriv.......... • tu balay.......... • il rang..........
 • vous plong.......... • elles grand..........

2 Retrouve l'infinitif de ces verbes du 3e groupe conjugués au passé simple.

■ **1.** je courus : .... • tu vis : ....
 • il comprit : ....

■ **2.** je conduisis : .... • tu vins : ....
 • ils reçurent : ....

■ **3.** il dut : .... • tu fis : ....
 • il crut : ....

3 Conjugue ces verbes du 3e groupe au passé simple.

1.	2.	3.
descendre : je	dire : il	faire : nous ....
sentir : tu	prendre : il	écrire : elle ....
partir : il	voir : ils	mettre : ils ....

Ajoute une **cédille** avant les terminaisons en **-u**.

4 Conjugue ces verbes du 3e groupe au passé simple.

- **1.** croire : je .... • lire : tu .... • vouloir : il ....
- **2.** apercevoir : il .... • paraître : je .... • boire : ils ....
- **3.** savoir : je .... • recevoir : il .... • pouvoir : ils ....

5 Conjugue ces verbes du 3e groupe au passé simple.

- **1.** venir : je .... • tenir : tu .... • devenir : il ....
- **2.** retenir : tu .... • parvenir : il .... • intervenir : ils ....
- **3.** prévenir : il .... • survenir : nous .... • contenir : ils ....

6 Transpose ces verbes au passé simple.

- **1.** j'essaie : .... • tu pars : .... • ils couraient : ....
- **2.** il voit : .... • tu venais : .... • elle savait : ....
- **3.** je mets : .... • vous saviez : .... • ils vivaient : ....

7 Souligne les formes verbales qui peuvent être au passé simple ou au présent.

tu dis • tu crus • tu pris • il sortit • tu guéris • elle grandit
• il conduit • il survint • il surprit • je ris • elle écrit

Au singulier, certains verbes se conjuguent de la même manière au **présent** et au **passé simple**.

8 **J'APPLIQUE** pour lire

Au moment où Ménélas allait remporter la victoire, Aphrodite, la déesse qui protège Pâris, l'enveloppa et le cacha dans un épais brouillard. Ensuite, elle le conduisit dans sa chambre où Hélène le rejoignit.

a) Souligne quatre verbes au passé simple.

b) Transpose ces verbes à la 3e personne du pluriel :

....

....

....

9 **J'APPLIQUE** pour écrire

À ton tour, raconte un événement miraculeux. Tu peux t'inspirer d'un livre ou d'un film.

Consigne
- 5 lignes
- 3 verbes au passé simple

Coche la couleur que tu as le mieux réussie.

☐ Relève de nouveaux défis ! ⟶ exercices 6, 7, p. 48
■ Améliore tes performances ! ⟶ exercices 8, 9, p. 48
■ Prouve que tu es un champion ! ⟶ exercices 10, p. 48 et 11, p. 49

Chacun son rythme

16 L'emploi du passé simple et de l'imparfait dans un récit

Ce jour-là, il se leva très tôt. •
Tous les jours, il dormait jusqu'à midi. •

• Action habituelle.
• Action qui n'a eu lieu qu'une seule fois.

Relie chaque phrase à la situation qui correspond.

Je retiens

- Dans un récit au passé, le **passé simple** et l'**imparfait** s'utilisent en alternance, car ils ont des **valeurs complémentaires**.

 A L'EMPLOI DU PASSÉ SIMPLE DANS UN RÉCIT

- Le passé simple s'utilise pour les **actions principales** du récit :
  - **actions uniques**, souvent **successives** : *Il entra, posa son chapeau et salua.*
  - **actions bien datées** : *Ce jour-là, il se leva à cinq heures.*
  - **actions** dont la **durée** est **connue et précisée** : *Il navigua pendant dix ans.*

B L'EMPLOI DE L'IMPARFAIT DANS UN RÉCIT

- L'imparfait s'utilise pour les **actions secondaires** interrompues par l'action principale ou qui lui servent de cadre.

    Il dormait profondément, un coup de feu le réveilla.

    Les enfants jouaient, personne ne vit le professeur arriver.

- Les **descriptions** : *Les couleurs du ciel et de la mer se confondaient.*
- Les **actions habituelles** ou **répétées** : *Chaque jour, il se promenait à cet endroit.*

Remarque : si l'on compare un récit à un film, le **passé simple** correspond au **1er plan** (action et personnages principaux) et l'**imparfait** au **second plan** (décor et personnages secondaires).

Je m'entraîne

1 Entoure la bonne valeur des passés simples.

1. Ce matin-là, il se réveilla en sursaut. `ACTION BIEN DATÉE` `ACTION HABITUELLE`

2. Il arriva, se déshabilla et plongea dans la piscine. `ACTIONS SUCCESSIVES` `ACTIONS SECONDAIRES`

3. Il resta enfermé toute la journée. `DESCRIPTION` `ACTION D'UNE DURÉE CONNUE`

2 Coche la bonne valeur des imparfaits.

■ **1.** Tous les matins, je <u>plongeais</u> dans la piscine. ☐ action habituelle ☐ action bien datée

■ **2.** Les sirènes <u>avaient</u> une tête de femme et un corps d'oiseau. ☐ description ☐ action principale

■ **3.** Ils <u>attendaient</u> depuis longtemps lorsque leur ami arriva. ☐ action unique ☐ action secondaire

3 Souligne en bleu les passés simples et en rouge les imparfaits, puis justifie leur emploi en donnant leur valeur.

■ **1.** Les sommets enneigés se découpaient dans le ciel. **VALEUR** ....

■ **2.** Habituellement, il dormait jusqu'à midi, mais ce jour-là, il se leva à six heures.
VALEURS .... / ....

■ **3.** Il claqua violemment la porte alors que toute la famille dormait encore.
VALEURS .... / ....

4 Transpose ces phrases au passé en alternant passé simple et imparfait.

■ **1.** Ulysse <u>est</u> .... jeté sur le rivage des Phéaciens, Alkinoos <u>est</u> .... leur roi.

■ **2.** Pendant qu'Ulysse <u>se repose</u> ...., Nausicaa, la fille du roi, <u>arrive</u> ....

■ **3.** Elle <u>vient</u> .... souvent là avec ses amies, elles <u>se promènent</u> ....,
<u>jouent</u> .... à la balle, mais ce jour-là, la balle <u>réveille</u> .... Ulysse.

5 Mets les verbes entre parenthèses au passé simple ou à l'imparfait.

■ **1.** Ulysse (être) .... roi d'Ithaque, son épouse s'(appeler) .... Pénélope.

■ **2.** Il (être) .... très rusé : il (avoir) .... l'idée du cheval de Troie.

■ **3.** Le siège de Troie (durer) .... dix ans, et Ulysse (mettre) .... dix ans de plus à rentrer chez lui.

6 **J'APPLIQUE** pour lire

Ulysse voguait paisiblement sur la mer, lorsqu'il aperçut les monts de Phéacie. La terre était toute proche et le héros se réjouissait. Mais Poséidon, le dieu de la mer, son ennemi, découvrit le radeau. La colère s'empara de lui, il attrapa son trident, rassembla les nuages et déchaîna la mer. Le spectacle était terrible : la brume obscurcissait l'horizon, la nuit tombait du ciel et des vents violents s'abattaient sur la fragile embarcation.

D'après Homère, *Odyssée* (VIIIᵉ s. av. J.-C.)

a) Dans la première phrase, souligne en bleu le verbe à l'imparfait et en rouge le verbe au passé simple, puis indique leur valeur.

Valeur imparfait : ....

Valeur passé simple : ....

b) Relève trois imparfaits de description dans la suite du texte : ....

....

c) Relève trois passés simples utilisés pour des actions successives : ....

....

7 **J'APPLIQUE** pour écrire

À ton tour, fais le récit au passé d'un événement mouvementé (orage, tempête...).

Coche la couleur que tu as le mieux réussie.
☐ Relève de nouveaux défis ! ⟶ exercices 12, 13, p. 49
■ Améliore tes performances ! ⟶ exercices 14, 15, p. 49
■ Prouve que tu es un champion ! ⟶ exercices 16, 17, p. 49

Chacun son rythme

L'imparfait de l'indicatif

1. *Chasse aux intrus* **Barre les verbes qui ne sont pas conjugués à l'imparfait.**

il parlait • nous partions • vous attendiez • il croyait • nous croyons • vous riez • ils entendaient

2. *Quiz* **Coche les phrases vraies.**

À l'imparfait :

☐ les verbes du 1er groupe ont des terminaisons particulières.

☐ on rencontre parfois deux *i* l'un à côté de l'autre.

☐ le radical est celui de la 1re personne du pluriel du présent.

☐ tous les groupes ont les mêmes terminaisons.

3. *Jeu de pendu* **Retrouve les verbes à l'imparfait de ces phrases (1 lettre par tiret).**

1. Tous les matins, tu F＿ ＿ ＿ ＿ ＿ ＿ la même promenade.

2. Au bout d'une heure, tu C＿ ＿ ＿ ＿ ＿ ＿ ＿ ＿ ＿ à t'ennuyer.

3. L'été dernier, nous N＿ ＿ ＿ ＿ ＿ ＿ tous les matins.

4. *Lettres mêlées* **Remets en ordre les lettres de ces verbes à l'infinitif, puis conjugue-les à l'imparfait pour compléter les phrases.**

1. R I V O ➟ ....

À cause du brouillard, nous ne .... rien.

2. E T I A R N O R N C E ➟ ....

Il .... bien la maison de son enfance.

3. R C N A V E A ➟ ....

Elles .... avec précaution sur ce petit sentier.

5. *Pyramide* **Complète la pyramide par des verbes conjugués à l'imparfait (1re personne du singulier) et signifiant le contraire des verbes donnés.**

1. pleurer
2. pousser
3. se taire
4. reculer
5. commencer

Le passé simple de l'indicatif

6. *Chasse aux intrus* **Barre les terminaisons qui ne peuvent pas correspondre à des passés simples.**

ai • a • ais • e • it • es • âtes • èrent • urent • ins • ons • ez • es • ait • int

7. *Quiz* **Coche les phrases justes.**

Au passé simple :

☐ il y a quatre sortes de terminaisons.

☐ les verbes des 1er et 2e groupes ont les mêmes terminaisons.

☐ la forme est semblable au présent pour les verbes du 2e groupe.

☐ il y a toujours un accent circonflexe aux deux premières personnes du pluriel.

8. *Méli-mélo* **Ajoute la terminaison du passé simple qui convient à chaque radical de verbe.**

èrent • irent • as • int • it • ai • îmes • âtes • us • is

1. je préfér ....
2. elles retir ....
3. nous franch ....
4. tu cr ....
5. ils part ....
6. je réfléch ....
7. il fourn ....
8. vous all ....
9. tu écout ....
10. il ret ....

9. *Casse-tête* **Retrouve 6 infinitifs et conjugue-les au passé simple pour compléter le texte.**

jeupartirchevalcourirmarcherloinaccueillir nuitjourtravaillersourceretentirécoleplage

Je .... au collège en retard. Je ...., puis, fatigué, je ....

En classe, mes camarades m'............. avec le sourire. Nous .... puis la sonnerie de la récréation ....

10. *Chasse aux intrus* **Barre les formes verbales qui n'existent pas.**

• nous prîmes
• vous sûtes
• nous pouvûmes
• vous chantâtes
• nous disâmes

• vous finîtes
• ils voulèrent
• vous écoutâtes
• nous vûmes
• nous faisâmes

• vous entendîtes
• vous parvenîtes
• ils éprouvèrent

11. Pyramide **Complète la pyramide par des verbes contraires conjugués à la 1ʳᵉ personne du singulier au passé simple.**

1. ignorer
2. laisser
3. disparaître
4. décoller
5. retirer
6. demander

L'emploi du du passé simple et de l'imparfait dans un récit

12. Verbes à la loupe **Souligne en bleu les imparfaits de description et en vert les imparfaits d'habitude.**

1. Un immense parc entourait la maison.
2. Tous les ans, nous les retrouvions à la montagne.
3. Elle regardait sa montre toutes les cinq minutes.
4. Il portait un manteau rouge et un chapeau vert et ressemblait à un perroquet.

Quelles expressions t'ont permis de retrouver les imparfaits d'habitude ? ....
....

13. Quiz **Coche la bonne réponse.**

1. L'imparfait s'utilise pour :

☐ les actions principales. ☐ les descriptions.

2. Le passé simple s'utilise pour des actions :

☐ bien datées. ☐ habituelles.

3. L'imparfait s'utilise pour :

☐ des actions uniques. ☐ des actions habituelles.

14. Verbes mêlés **Complète les phrases avec le verbe de la liste qui convient, puis indique la valeur du temps.**

dormit • abandonnaient • portait • sortîmes • mettait

1. Nous .... très tôt ce jour-là.

VALEUR ....

2. Autrefois, les enfants .... l'école très jeunes.

VALEUR ....

3. Elle .... une robe qui .... en valeur sa silhouette.

VALEUR ....

4. Il .... pendant huit heures.

VALEUR ....

15. Méli-mélo **Complète avec les bonnes terminaisons, puis justifie le temps.**

is • us • ait • èrent • aient • ions

1. Nous arriv............ tous les jours les premiers.

temps : .... • **valeur :** ....

2. Ce jour-là tu cour............ une heure.

temps : .... • **valeur :** ....

3. Tu les v............ en entrant et ils nous salu............ .

temps : .... • **valeur :** ....

4. le soleil brill............, des enfants jou............ sur la plage.

temps : .... • **valeur :** ....

16. Devinette **Barre les valeurs du passé simple et de l'imparfait pour trouver une devinette que tu devras résoudre.**

actionbiendatéecombiendescriptiondetemps
habitudeunesourisactionsecondairepeut
actionprincipaleelleactiond'uneduréepréciséevivre

Devinette : ....
....

Réponse : ....

17. Labo des mots **Complète le tableau.**

Phrases	Temps	Valeurs
Ils arrivèrent à huit heures.	....	action unique bien datée
....	....	action habituelle
Il mesurait deux mètres et ressemblait à un géant.	....	

17 Le futur de l'indicatif et le présent du conditionnel

J'observe

je reviendrai, je jouerai, je finirai, j'irai, je pourrai

Ces verbes appartiennent-ils au même groupe ? ....

Ont-ils tous la même terminaison ? ....

L'infinitif apparaît dans deux de ces verbes, lesquels ? ....

À quels groupes appartiennent-ils ? ....

Je retiens

 A COMMENT FORMER LE FUTUR SIMPLE ?

- Pour **tous les groupes**, les terminaisons sont : -*(r)ai*, -*(r)as*, -*(r)a*, -*(r)ons*, -*(r)ez*, -*(r)ont*
- Le **radical** utilisé se termine **toujours** par un *r*.

Verbes	Formation	Exemples
1er et 2e groupes	**infinitif complet** + terminaison	*je planterai, tu finiras, nous copierons*
3e groupe	**infinitif complet** ou **sans le *e* final** + terminaison	*je partirai, tu prendras* (inf. sans *e*)

- Certains verbes du **3e groupe** sont **irréguliers** :
- – certains prennent **deux *r*** : *je pourrai, je verrai, j'enverrai, tu courras, ils mourront*
- – d'autres ont des **radicaux irréguliers** : *j'irai* (aller), *j'aurai* (avoir), *je serai* (être), *je saurai* (savoir), *je voudrai* (vouloir), *je viendrai* (venir), *tu tiendras* (tenir), *je ferai* (faire)

B COMMENT FORMER LE PRÉSENT DU CONDITIONNEL ?

- On utilise le **même radical en -*r*** qu'au futur.
- Les **terminaisons** sont celles de l'**imparfait** : -*(r)ais*, -*(r)ais*, -*(r)ait*, -*(r)ions*, -*(r)iez*, -*(r)aient*
  je planterais, tu finirais

▶ Tableaux de conjugaison complets, p. 126 à 128.

Je m'entraîne

1 Indique le mode et le temps des formes verbales.

■ **1.** je jouerai : ....   • il finirait : ....

■ **2.** nous prendrons : ....   • il retiendrait : ....

■ **3.** vous verriez : ....   • je serais : ....

2 Conjugue au futur puis au conditionnel présent ces verbes des 1er et 2e groupes.

Attention ! Le **radical** des verbes avec un **e** ou un **é** dans la dernière syllabe et le **radical** des verbes en **-yer** changent **comme au présent** !

		Futur	Cond. présent
	jouer	tu	tu ....
	finir	nous	nous ....
	plier	il	il ....
	payer	ils	ils ....
	nettoyer	nous	nous ....
	semer	je	je ....

3 Conjugue au futur puis au conditionnel présent ces verbes du 3e groupe.

		Futur	Cond. présent
	sortir	je	je ....
	lire	ils	ils ....
	venir	il	il ....
	pouvoir	nous	nous ....
	courir	tu	tu ....
	savoir	vous	vous ....

4 Transpose du présent au futur.

  1. je rêve : ....
  • tu bondis : ....
  2. elle tient : ....
  • nous pouvons : ....
  3. je sais : ....
  • ils veulent : ....

5 Transpose de l'imparfait au conditionnel présent.

  1. je dansais : ....
  • nous finissions : ....
  2. il soupirait : ....
  • ils plaçaient : ....
  3. j'allais : ....
  • nous envoyions : ....

6 Souligne en bleu les conditionnels présents et en rouge les imparfaits.

  1. je pouvais • il espérait • nous finirions • tu voudrais • ils entendraient • ils recevaient
  2. il aimerait • tu opérais • il mourait • tu pourrais • vous illustriez • ils paieraient
  3. vous sauriez • il devrait • nous soupirions • vous viendriez • ils iraient • nous courions

7 Souligne en vert les futurs, en bleu les conditionnels présents et en rouge les imparfaits.

  1. je ferai • il ferait • nous faisions • vous saviez • ils chantaient • nous chanterons
  2. ils étaient • nous entendrions • vous entendrez • ils aimeraient • ils viendront
  3. je serai • j'aurais • nous courrions • vous saurez • j'envoyais • je pourrai

8 **J'APPLIQUE** pour lire

Sur l'Olympe, les dieux se querellent. Qui décidera ? Qui l'emportera ? Zeus et Aphrodite conduiront-ils les Troyens à la victoire ? Héra et Athéna atteindront-elles leur but : la victoire des Grecs ? Personne ne le sait.

a) **Souligne les quatre verbes au futur.**

b) **Transpose-les au conditionnel présent :** ....

....

c) **Réécris la dernière phrase au futur :** ....

9 **J'APPLIQUE** pour écrire

Tu prépares l'anniversaire de ton ou ta meilleur(e) ami(e). Rédige ce que tu prévois de faire pour lui (elle).

Consigne
• 5 lignes
• 4 verbes au futur

Coche la couleur que tu as le mieux réussie.
☐ Relève de nouveaux défis ! ⟶ exercices 1, 2, p. 56
☐ Améliore tes performances ! ⟶ exercices 3, 4, p. 56
☐ Prouve que tu es un champion ! ⟶ exercices 5, 6, p. 56

Chacun son rythme

51

18 Les temps composés de l'indicatif

il est venu, il a chanté, nous avons entendu, ils sont allés

De combien de mots ces verbes conjugués sont-ils constitués ? ....

Quels verbes utilisent l'auxiliaire *avoir* ? ....

Quels verbes utilisent l'auxiliaire *être* ? ....

Je retiens

A QU'EST-CE QU'UN TEMPS COMPOSÉ ?

• Les **temps composés** sont toujours constitués de **deux mots** :

auxiliaire *avoir* ou *être* conjugué à un temps simple	**+**	participe passé du verbe à conjuguer

B QUELS SONT LES TEMPS COMPOSÉS DE L'INDICATIF ?

• **Passé composé**	→ auxiliaire au **présent**	*j'**ai** vu, je **suis** venu*
• **Plus-que-parfait**	→ auxiliaire à l'**imparfait**	*j'**avais** chanté, nous **étions** allés*
• **Passé antérieur**	→ auxiliaire au **passé simple**	*j'**eus** entendu, il **fut** venu*
• **Futur antérieur**	→ auxiliaire au **futur**	*j'**aurai** su, tu **seras** parti*

⚠ Pense à **accorder les participes passés** avec les sujets quand l'auxiliaire est *être*. ▶ fiche 22

Remarque : *être* et *avoir* se conjuguent toujours avec l'**auxiliaire *avoir***.

*Ils **ont été** gentils. J'**ai eu** un nouveau sac.*

Je m'entraîne

 Être ou *avoir* ? Classe ces verbes.

■ **1.** tu es • ils ont • elles étaient

■ **2.** nous avions • vous serez • elles sont

■ **3.** il eut • je fus • nous serons

 Souligne en bleu les auxiliaires et en vert les participes passés.

■ **1.** j'ai fini • tu es arrivé • il était allé • nous avons vu • vous avez regardé • ils ont entendu

■ **2.** tu eus mis • il n'a pas compris • j'avais bien écouté • vous aviez aperçu • j'aurai attendu

■ **3.** il eut été • il n'était pas encore né • ils avaient bien vécu • ils n'auront jamais cru • ils sont morts

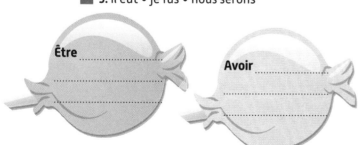

Être ....

Avoir ....

3 Souligne les verbes *être* ou *avoir* en bleu s'ils sont utilisés seuls et en rouge s'ils sont auxiliaires.

◻ **1.** Je suis un élève de 6ᵉ. • J'ai beaucoup d'amis. • Je suis rentré de vacances. • J'ai appris la nouvelle.

◼ **2.** J'étais très content. • J'ai oublié mes clés. • Je serai parti deux jours. • J'ai de nouvelles baskets.

◼ **3.** Elle n'était pas encore arrivée. • J'ai eu une très belle surprise. • Il a été un grand sportif.

4 Indique le temps et l'infinitif de ces formes verbales composées.

◻ **1.** j'ai reçu : ....

• elle était tombée : ....

◼ **2.** j'avais aimé : ....

• elle fut partie : ....

◼ **3.** tu auras su : ....

• j'eus recouvert : ....

5 Complète le tableau.

Verbes	Passé composé	Plus-que-parfait	Passé antérieur	Futur antérieur
◻ jeter (il)				
◼ partir (tu)				
◼ mettre (j')				

6 Transpose ces formes verbales simples au temps composé correspondant.

◻ **1.** il chante : .... • tu finissais : .... • ils mangeront : ....

◼ **2.** je courais : .... • il courra : .... • il vint : ....

◼ **3.** il fit : .... • nous irons : .... • tu fus : ....

> Pour trouver le temps composé correspondant, **conjugue l'auxiliaire au temps simple identifié** : présent → aux. au présent = passé composé.

7 **J'APPLIQUE** pour lire

Le prince Pâris a grandi chez Agélaos, un berger. Il ne savait pas qu'il était le fils du roi de Troie, Priam. [Il est devenu berger à son tour sur le mont Ida, et un jour il a vu apparaître trois déesses.] Elles lui ont demandé de désigner la plus belle d'entre elles.

a) **Souligne les passés composés du texte.**

b) **Réécris au plus-que-parfait la phrase entre crochets :** ....

....

....

8 **J'APPLIQUE** pour écrire

Réécris ce texte en remplaçant les passés simples par des passés composés.

La première déesse, Athéna, lui révéla qu'il était fils de Priam et lui proposa, s'il la choisissait, de lui donner la prudence guerrière. Elle lui promit de faire de lui le guerrier le plus vaillant. Héra, la seconde, lui offrit la richesse et la possession du plus puissant des royaumes. Aphrodite, enfin, lui donna la possibilité d'épouser Hélène, la plus belle des femmes. C'est, bien sûr, cette dernière qu'il choisit.

Chacun son rythme

Coche la couleur que tu as le mieux réussie.

◻ Relève de nouveaux défis ! ⟶ exercices 7, 8, p. 56

◼ Améliore tes performances ! ⟶ exercice 9, p. 56

◼ Prouve que tu es un champion ! ⟶ exercices 10, 11, p. 57

19 L'emploi du futur et du passé composé dans un récit

Il est arrivé hier. •

Il arrivera demain. •

• Action qui n'a pas eu lieu.

• Action qui a eu lieu.

Relie chaque phrase à la bonne situation.

Je retiens

A L'EMPLOI DU FUTUR DANS UN RÉCIT

• Dans un **récit au présent**, le futur s'utilise pour une **action prévue** qui **n'a pas encore eu lieu**.

*Demain, nous **partirons** de bonne heure.*

• Il peut servir à donner un **ordre** : *Vous **ferez** l'exercice 2 pour demain.*

• Il peut exprimer un **fait soumis à une condition** : *S'il pleut, nous ne **sortirons** pas.*

B L'EMPLOI DU PASSÉ COMPOSÉ DANS UN RÉCIT

• Dans un **récit au présent**, le passé composé s'utilise pour une **action qui a déjà eu lieu**.

*Je sors dès que j'**ai fini** mes devoirs.*

• Dans un **récit au passé**, dans le **langage courant**, il remplace le **passé simple**.

Remarque : dans un texte au passé, le **futur** est remplacé par le **conditionnel présent**, et le **passé composé** par le **plus-que-parfait** (ou le passé antérieur).

*Je **pense** qu'il **sera** là.* → *Je **pensais** qu'il **serait** là.*

| présent | futur | | imparfait | conditionnel présent |

*Je **crois** qu'il **est parti** en vacances.* → *Je **croyais** qu'il **était parti** en vacances.*

| présent | passé composé | | imparfait | plus-que-parfait |

Je m'entraîne

1 Complète par l'un des verbes proposés, au passé composé puis au futur.

   1. Hier, nous .... un gâteau.

    • Tout à l'heure, nous .... un gâteau.

préparer   faire

   2. Hier, il .... beau. • Demain, il .... beau.

   3. Les alpinistes .... le sommet.

    • Bientôt, les alpinistes .... le sommet.

atteindre

2 Coche la valeur des futurs soulignés.

   1. Nous prendrons le train de huit heures. ☐ action prévue ☐ action soumise à une condition

   2. Tu fermeras bien la porte avant de sortir. ☐ action prévue ☐ ordre

   3. Si tu viens tôt, nous irons au cinéma. ☐ ordre ☐ action soumise à une condition

3 Coche la valeur des passés composés soulignés.

1. Il <u>est parti</u> et maintenant je suis seul. ☐ action achevée ☐ remplace le passé simple

2. Il <u>a raté</u> son train, il revient. ☐ action achevée ☐ remplace le passé simple

3. Il pleuvait lorsqu'ils <u>sont arrivés</u>. ☐ action achevée ☐ remplace le passé simple

4 Réécris ces phrases en utilisant le futur pour exprimer l'ordre.

1. Téléphone en arrivant. ....

2. N'oublie pas l'anniversaire de ta grand-mère. ....
....

3. Ne croyez pas tout ce que l'on vous dit et réfléchissez avant d'agir. ....
....

5 Mets les passés simples au passé composé.

1. Il <u>arriva</u> .... en courant et ne <u>regarda</u> .... personne.

2. Ulysse <u>resta</u> .... longtemps chez Calypso, Hermès <u>vint</u> .... le chercher.

3. Athéna <u>donna</u> .... à Ulysse une idée qui le <u>sauva</u> .... : il <u>s'accrocha</u>
.... à un rocher et <u>résista</u> .... à la tempête.

6 Réécris ces phrases en mettant le verbe souligné à l'imparfait et en faisant
les modifications nécessaires.

1. Je <u>sais</u> qu'il a réussi mieux que moi. ....

2. J'<u>espère</u> qu'ils nous rejoindront. ....

3. Je <u>suis</u> sûr qu'il est parti trop tard et qu'il ne sera pas là à temps. ....
....

7 **J'APPLIQUE** pour lire

Ulysse, prisonnier du Cyclope, **a eu** une bonne
idée, parce qu'il était très rusé :
« Cyclope, tu **as passé** une journée fatigante, tu
prendras bien un peu de vin ?
– Si tu me donnes du vin et si tu me dis ton nom,
je t'offrirai un présent.
– Je m'appelle Personne. »

a) Indique la valeur des passés composés en gras :
....
....

b) Relève un futur exprimant une action prévue :
....

c) Relève un autre futur et indique sa valeur : ....
....

8 **J'APPLIQUE** pour écrire

Ulysse trouve une ruse pour se libérer du Cyclope. À ton tour,
imagine une histoire où un personnage se sort d'une situation
difficile grâce à une ruse.

Consigne
• 5 lignes
• 1 verbe au futur
• 1 verbe au passé composé

Coche la couleur que
tu as le mieux réussie.
☐ Relève de nouveaux défis ! ⟶ exercices 12, 13, p. 57
☐ Améliore tes performances ! ⟶ exercice 14, p. 57
☐ Prouve que tu es un champion ! ⟶ exercices 15, 16, p. 57

Chacun
son rythme

Le futur de l'indicatif et le présent du conditionnel

■ 1. Range-verbes **Entoure les verbes au futur.**

je chanterai • il lisait • tu recevras • il courut • vous serez
• nous rions • elles entendront • elles ouvraient

■ 2. Chasse aux intrus **Barre les verbes qui ne sont pas au conditionnel présent.**

il voulait • tu serais • ils voudraient • tu iras • je pourrais
• nous viendrons • vous chanteriez • elle partira

■ 3. Quiz **Coche les bonnes réponses.**

1. Le futur et le conditionnel présent se forment :
☐ sur l'infinitif. ☐ sur un radical terminé par un *r*.

2. Les terminaisons sont les mêmes qu'à l'imparfait :
☐ au futur. ☐ au conditionnel présent.

■ 4. Verbes à la loupe **Souligne en rouge les verbes au futur et en bleu ceux au conditionnel présent.**

- tu penseras
- tu penserais
- ils viendront
- ils entendraient
- je finirais
- vous aurez
- vous réussiriez
- elle saura
- ils croiraient
- je voudrai
- vous mettrez
- tu iras

■ 5. Pyramide **Complète la pyramide : trouve les verbes correspondant aux définitions et conjugue-les au temps et à la personne demandés.**

1. se rendre à un endroit FUTUR 3ᴱ PERS. SING.

2. posséder FUTUR 3ᴱ PERS. SING.

3. contraire de *pleurer* FUTUR 2ᴱ PERS. SING.

4. se déplacer très vite à pied FUTUR 3ᴱ PERS. SING.

5. connaître quelque chose COND. PRÉS. 1ᴿᴱ PERS. SING.

6. être capable COND. PRÉS. 3ᴱ PERS. SING.

7. contraire de *se taire* COND. PRÉS. 2ᴱ PERS. PLUR.

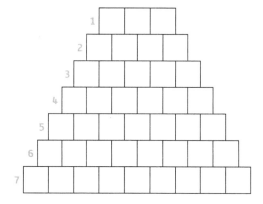

■ 6. Devinette **Barre les futurs et les conditionnels présents, puis trouve l'énoncé d'une devinette que tu devras résoudre.**

rougiraisqu'seraestauraceferionsquirirapeut
viendraisêtrevoudraisàpartiraslapourra
foistiendrionsuncourraclownliraitprendrions
unelunecroiraitmettrontouunentendraitchat

Devinette : ....

....

Réponse : ....

Les temps composés de l'indicatif

■ 7. Chasse aux intrus **Barre les verbes qui ne sont pas conjugués à un temps composé.**

je range • je lis • tu as ri • vous êtes partis • ils viennent
• tu auras pris • ils sont venus • ils ont attendu • il a

■ 8. Quiz **Coche les phrases vraies.**

☐ Les temps composés sont constitués de deux mots.

☐ Le 1ᵉʳ mot est toujours l'auxiliaire *avoir*.

☐ Il existe autant de temps simples que de temps composés.

☐ Les verbes *être* et *avoir* sont toujours des auxiliaires.

☐ Le 2ᵉ mot est toujours un participe passé.

■ 9. Range-verbes **Classe les verbes suivants par leur numéro dans la bonne colonne.**

1. je suis allé
2. ils auront fini
3. tu avais fait
4. elle eut compris
5. vous avez attendu
6. il avait oublié
7. elles étaient venues
8. vous aurez su
9. nous avons appris
10. il eut cru
11. il aura confondu
12. elles furent venues

Passé composé	Plus-que-parfait	Passé antérieur	Futur antérieur
....	....	....	....
....	....	....	....

■ **10.** Devinette **Barre les formes verbales composées pour découvrir une devinette et résous-la.**

ailujeavionsentendusuisauraiaimépetitet
ontchantémignonauraisprismaisavujesuisvenu
piqueestpartisieutcourutuauronsétéme
avaisjetétouchesétionsallésturisquessuistombé
deontsaisileaurasuregretter

Devinette : ....

....

Réponse : ....

■ **11.** Lettres mêlées **Remets les lettres en ordre pour retrouver l'infinitif des verbes que tu conjugueras au temps indiqué pour compléter les phrases.**

1. R E I N T M R E ➛ .... **FUTUR ANTÉRIEUR**
Tu .... avant la nuit.

2. R U V O I R ➛ .... **PLUS-QUE-PARFAIT**
Ils .... leur sac.

3. T R A H U S I O E ➛ .... **PASSÉ COMPOSÉ**
Nous .... les rencontrer.

L'emploi du futur et du passé composé dans un récit

■ **12.** Range-phrases **Classe les verbes de ces phrases selon la valeur du futur.**

1. Je pense que nous arriverons vers deux heures.

2. Tu m'enverras une carte postale.

3. Il obtiendra satisfaction s'il insiste.

| Ordre : .... | Action prévue : .... |

Action soumise à une condition : ....

■ **13.** Range-phrases **Classe les verbes soulignés selon la valeur du passé composé.**

1. Le match s'est achevé, nous rentrons.

2. Il a ouvert la porte, s'est précipité sur moi et m'a embrassé.

3. Il a gagné la course, nous le félicitons.

Action achevée	Remplace le passé simple
....	....
....	....

■ **14.** Labo des mots **Complète ces phrases par un verbe au futur et indique sa valeur.**

1. Tu .... bien avant de sortir.
VALEUR ....
2. Nous .... à la plage.
VALEUR ....
3. Ils .... en cas d'imprévu.
VALEUR ....
4. Tu l' .... de ma part.
VALEUR ....

■ **15.** Charade

Mon premier est un rongeur. **Mon second** est aussi un rongeur. **Mon tout** est un verbe qui ne pleure pas et qui complète la phrase suivante, conjugué au futur :

Tu .... *pour la photo !*

■ **16.** Labo des phrases **Complète le tableau.**

Phrases	Temps	Valeurs
Elle a repeint toutes les pièces de son appartement.	....	....
....	passé composé	remplace le passé simple
Tu fermeras la porte !	....	
....	futur	action soumise à une condition

20 Les homophones de être

J'observe

Ils **sont** arrivés les premiers. • Il a mis **son** nouveau pantalon.

Quel est le point commun entre les deux mots en gras ? ....

Lequel peut être remplacé par *étaient* ? ....

Je retiens

A — QUELS SONT LES HOMOPHONES DE *ÊTRE* ?

- *(tu)* **es**, *(il)* **est**   verbe *être*   → remplacer par l'imparfait *(étais, était)*
- *(j')* **ai**   verbe *avoir*   → remplacer par l'imparfait *(avais)*
- **et**   mot de liaison   → remplacer par *et puis*

  *Tu **es** (étais) formidable **et** (et puis) j'**ai** (avais) un cadeau pour toi.*

- *(ils)* **sont**   verbe *être*   → remplacer par l'imparfait *(étaient)*
- **son**   déterminant possessif   → mettre au pluriel *(ses)*

  *Ils **sont** (étaient) partis. Elle a fini **son** (ses) livre.*

B — QUELS SONT LES HOMOPHONES DE *ÊTRE* PRÉCÉDÉ D'UN PRONOM ?

- **m'es** *(est)*, **t'es** *(est)*, **s'est**, **c'est**   verbe *être*   → remplacer par l'imparfait *(m'étais, t'étais, s'était...)*
- **mais**   mot de liaison   → remplacer par *et*
- *(tu)* **mets**, *(il)* **met**   verbe *mettre*   → remplacer par l'imparfait *(mettais...)*
- **mes, tes, ces, ses**   déterminants   → mettre au singulier *(mon, ton...)*
- *(tu)* **sais**, *(il)* **sait**   verbe *savoir*   → remplacer par l'imparfait *(savais...)*

  *Il **m'est** (m'était) impossible d'enfiler **mes** (ma) bottes.*

  *Tu **t'es** (t'étais) amusé avec **tes** (ton) amis.*

Remarque : pour ne pas confondre **c'est** et **s'est** : **c'est** signifie « cela est », **s'est** est toujours suivi d'un participe passé : **c'est** (cela est) (c'était) bien ; il **s'est** (s'était) promené (participe passé).

Je m'entraîne

1 Complète par *son* ou *sont*, et justifie ton choix.

1. Donne-lui .... cadeau. → ....

  • Ils .... déjà partis. → ....

2. Ils .... mignons. → ....

  • Je préfère .... chat à .... chien. → ....

3. Ses papiers .... dans .... sac. → ....

> Pour justifier ton choix, mets au **pluriel** ou à l'**imparfait**.

2 Complète par *ai*, *es*, *est* ou *et*, puis justifie ton choix.

Pour justifier ton choix, **remplace** par *et puis* ou mets à l'**imparfait**.

1. Il entre .... sort sans arrêt. ➡ .... • Où .... -il ? ➡ ....

2. J'........... entendu du bruit. ➡ .... • .... -tu inquiète ? ➡ ....

3. .... -tu loin .... as-tu fait bonne route ? ➡ ....

3 Complète par *tes*, *t'es* ou *t'est*.

1. Où as-tu mis .... gants ? • Tu t'........... trompé de chemin. • Tous .... calculs sont faux.

2. Il .... arrivé une drôle d'histoire. • Tu .... aperçu trop tard de .... erreurs.

3. Pourquoi .... -tu perdu ? • Parce que tu .... moqué de moi avec .... explications fantaisistes.

4 Complète avec les homophones proposés.

1. MES / MAIS   Je te raconte .... aventures, ... tu ne les répètes à personne !

2. MAIS / M'EST / MES   .... clés ont disparu, ... il .... possible d'entrer par la fenêtre.

3. METS / M'EST / MES   Où .... -tu .... affaires ? Cela .... indifférent.

5 Complète par *ces*, *ses* ou *s'est*.

Au singulier, *ces* devient *ce*, *cet* ou *cette* ; *ses* devient *son* ou *sa*.

1. .... montagnes sont très hautes. • Elle ne retrouve plus .... gants.

2. Il .... installé dans l'une de .... belles maisons avec .... enfants.

3. Que .... -il passé ? Il .... endormi avec .... vêtements et .... lunettes.

6 Complète par *sais*, *sait*, *s'est* ou *c'est*.

1. Il .... sa leçon par cœur. .... très bien ! • Il .... perdu.

2. Le .... -tu ? Il .... fait renverser par une voiture, mais ne .... rien cassé.

3. Comme .... étrange ! On croirait que .... lui, mais .... son sosie.

7 Barre la forme fausse.

1. Quand le soleil c'est / s'est levé, je dormais. • C'est / s'est très important de se reposer.

2. Il ne s'est / c'est pas souvenu de ce qui c'est / s'est passé ? • C'est / s'est dommage.

3. C'est / s'est lui qui c'est / s'est proposé pour venir, mais il s'est / c'est trompé de chemin.

8 **JE CONSOLIDE** mon orthographe

Complète le texte à l'aide des homophones de la leçon.

Hélène .... la femme de Ménélas, roi de Sparte. Un jour, le prince Pâris .... arrivé de Troie sur .... vaisseaux noirs. Il .... présenté au roi dans .... somptueux char .... reçu avec tous les honneurs. Le pauvre Ménélas ne .... pas encore qu'il reçoit l'instrument de .... malheur.

9 **J'APPLIQUE** pour écrire

Rédige trois phrases qui contiendront chacune au moins deux homophones de la leçon.

Chacun son rythme

Coche la couleur que tu as le mieux réussie.

☐ Relève de nouveaux défis ! ➡ exercices 1, 2, p. 64
☐ Améliore tes performances ! ➡ exercices 3, 4, p. 64
☐ Prouve que tu es un champion ! ➡ exercices 5, 6, p. 64

21 Les homophones de *avoir*

J'observe

Il **a** pris ses lunettes de soleil pour aller **à** la plage.

Lequel des deux mots en gras est une forme du verbe *avoir* ? ....

Remplace-le par l'imparfait : ....

Je retiens

 A QUELS SONT LES HOMOPHONES DE *AVOIR* ?

- *(tu)* **as**, *(il)* **a**   verbe *avoir*   ➞ remplacer par l'imparfait *(avais, avait)*
- **à**   préposition   ➞ remplacement impossible

   Tu **as** *(avais) un bateau. Tu vas* **à** *Paris.*

- *(ils)* **ont**   verbe *avoir*   ➞ remplacer par l'imparfait *(avaient)*
- **on**   pronom sujet   ➞ remplacer par *il*

   Elles **ont** *(avaient) gagné.* **On** *(il) vient de l'apprendre.*

B QUELS SONT LES HOMOPHONES DE *AVOIR* PRÉCÉDÉ D'UN PRONOM ?

- **l'ai, l'as** *(a)*, **m'as** *(a)*, **t'ai, t'a**   verbe *avoir*   ➞ remplacer par l'imparfait *(l'avais, m'avais, t'avait…)*
- **l'es** *(est)*, **t'es** *(est)*   verbe *être*   ➞ remplacer par l'imparfait *(l'étais…)*
- **ma, ta, la**   déterminant ou pronom   ➞ mettre au pluriel *(mes, tes, les)*
- **tes, les**   déterminant ou pronom   ➞ mettre au singulier *(ton, ta, le, la)*
- **là**   mot invariable   ➞ remplacer par *ici*

   Il **m'a** *(m'avait) parlé de* **ma** *(mes) sœur. Je ne* **l'ai** *(l'avais) pas vu, mais il* **les** *(le) voit.*

Je m'entraîne

 1 Complète par *as*, *a* ou *à*, et justifie ta réponse.

> Pour justifier ta réponse, mets à l'**imparfait** ou écris **impossible**.

1. Il .... téléphoné .... ses parents. ➞ ....
2. Tu n'............ qu'............ t'entraîner un peu. ➞ ....
3. Qu'............ -tu .... rester là .... ne rien faire ? ➞ ....

 2 Complète par *on* ou *ont*, et justifie ta réponse.

> Pour justifier ta réponse, remplace par *il* ou par **avaient**.

1. Ils .... pris le bus et .... ne les a pas vus. ➞ ....
2. Où .... -ils trouvé cette idée, ... se le demande. ➞ ....
3. Ils .... fait ce qu'............ leur avait demandé. ➞ ....

3 Complète par *ma*, *m'a* ou *m'as*.

1. J'ai oublié .... trousse. • Il ne .... pas attendu. • Elle ne .... pas vu.

2. Elle .... raconté une histoire. • Tu .... étonné. • Tu .... pris .... place.

3. .... -tu dit la vérité ? • .... voisine ne .... pas reconnu. • Ton cadeau .... plu.

4 Complète par *ta*, *t'a*, *t'ai*, *tes*, *t'es* ou *t'est*.

1. .... coiffure te va bien. • Il .... envoyé un message. • Mets .... lunettes !

2. Elle .... remercié. • Où est garée .... voiture ? • Je .... écrit.

3. Pourquoi ne .... -je pas vu ? • Que .... -il arrivé ? • Tu ne .... pas trompé.

5 Complète par *la*, *là*, *l'a* ou *l'as*.

1. Il est passé par .... • .... salle est pleine. • .... sortie est bien indiquée.

2. Il ne .... pas vu. • Il .... voit souvent. • Tu ne .... pas encore essayé.

3. .... -tu souvent rencontré ? • Tu ne .... pas remarqué dans .... foule.

6 Complète par *l'ai*, *les*, *l'es* ou *l'est*.

1. .... fleurs vont faner, mets- .... dans un vase. • On ne .... entend pas.

2. Je ne .... pas encore rencontré. • Je .... rencontre souvent.

3. Quand .... -je déjà vu ? • Est-il là ? Oui, il .... • Tu es sûr ? .... -tu vraiment ?

7 Choisis la bonne orthographe.

1.	2.	3.
Il a / à atterri là / la a / à huit heures. On / ont ne l'a / la pas attendu.	Tu ne m'a / m'as pas prévenu. Pourquoi t'es / t'ai-tu perdu ?	Où l'ai / les-je mis ? On t'a / t'as dit d'attendre là / la ! T'est / T'es-tu souvenu de lui ?

8 **JE CONSOLIDE** mon orthographe

Complète le texte à l'aide des homophones de la leçon.

Le lendemain, Ménélas .... quitté Sparte. Hélène ne .... pas accompagné. Elle .... regardé s'éloigner du rivage sur son vaisseau, puis est revenu .... ville. .... , elle .... vu venir .... sa rencontre le prince Pâris. Le prince .... saluée et lui .... avoué son amour.

9 **J'APPLIQUE** pour écrire

Rédige trois phrases en utilisant dans chacune d'elles au moins deux homophones de *avoir*.

Coche la couleur que tu as le mieux réussie.

☐ Relève de nouveaux défis ! ⟶ exercices 7, 8, p. 64

■ Améliore tes performances ! ⟶ exercices 9, p. 64 et 10, p. 65

■ Prouve que tu es un champion ! ⟶ exercice 11, p. 65

Chacun son rythme

22 L'accord du participe passé employé avec être

J'observe

Les feuilles **tombées** sont **emportées** par le vent.

Avec quel mot les deux participes en gras s'accordent-ils ? ....

Lequel est précédé de l'auxiliaire _être_ ? ....

Je retiens

A COMMENT ACCORDER LE PARTICIPE UTILISÉ SEUL ?

• **Accord** avec le **nom auquel il se rapporte**, comme **un adjectif qualificatif**.

    un lieu éclairé   _une pièce illuminée_
    (masc. sing.)   (fém. sing.)

B COMMENT ACCORDER LE PARTICIPE UTILISÉ AVEC _ÊTRE_ ?

• **Accord** en **genre** et en **nombre** avec le **sujet du verbe**.

    ma sœur est arrivée   _les enfants étaient sortis_
    (fém. sing.)   (masc. plur.)

⚠ L'accord se fait même si _être_ est à l'**infinitif** ou conjugué à un **temps composé**.

    elle pense être reçue   _l'actrice a été félicitée_

Remarque 1 : n'oublie pas que le participe passé de certains verbes se termine par un **s** ou un **t** même au masculin singulier : _Le couvert est_ **mis**. _Le travail est_ **fait**.

Remarque 2 : le participe passé utilisé avec _avoir_ ne s'accorde pas avec le sujet : _Elles ont_ **dit**.

Je m'entraîne

1 Complète si besoin ces participes utilisés seuls.

  1. des livres publié ..... au XIXᵉ siècle   • une maison bien éclairé .....   • un terrain exposé ..... au nord

  2. des vêtements déjà porté .....   • un merle et un pigeon perché ..... sur un arbre

  3. un pull et une chemise usé .....   • une maison vite construi .....   • un couvert bien mi .....

2 Complète si besoin ces participes utilisés avec l'auxiliaire _être_.

  1. La sortie est annulé ..... . • Les invités sont parti ..... . • Elle a été choisi ..... .

  2. Alice et son frère sont arrivé ..... . • Ils sont revenu ..... . • Nous sommes né ..... le même jour.

  3. Où es-tu allé ..... ? • Elles ont été surpri ..... . • Ma sœur et moi sommes inscri ..... .

3 Complète si besoin ces participes passés utilisés avec l'auxiliaire *avoir*.

■ **1.** J'ai fini _____ mon livre. • Ils ont acheté _____ le pain. • Nous avons assisté _____ à un beau spectacle.

■ **2.** Elle n'a pas entendu _____ la sonnerie. • Ma mère et moi avons fai_____ la vaisselle.

■ **3.** Où ont-elles mi_____ les clés ? • Elle a condui_____ la voiture de son père. • Nous avons écri_____ un poème.

4 Complète si besoin ces participes au masculin singulier.

Pour savoir si tu dois mettre un *s* ou un *t*, transpose au féminin : *dit → dite*.

■ **1.** Il a fui _____ . • Il est fini_____ . • Il a fai_____ . • Il s'est enfui_____

■ **2.** Il est condui_____ . • Il est reçu_____ . • Il est parti_____ . • tu es sédui_____ .

■ **3.** Il est acqui_____ . • Il s'est diverti_____ . • Il s'est remi_____ . • Je suis conqui_____ .

5 Mets les infinitifs au participe puis accorde-les.

■ **1.** Les enfants **ARRIVER** _____ les derniers seront aussi **RÉCOMPENSER** _____ .

■ **2.** Elle n'avait jamais **CONDUIRE** _____ , mais maintenant elle y est **HABITUER** _____ .

■ **3.** Ils ont longtemps **VIVRE** _____ aux États-Unis. Ils y sont **NAÎTRE** _____ mais en sont **REVENIR** _____ .

6 Transpose ces phrases au pluriel.

■ **1.** Il est parti. ➡ _____ • Tu es bien renseigné. ➡ _____

■ **2.** Il a fini son repas. ➡ _____ • Je suis fatigué. ➡ _____

■ **3.** Quand es-tu partie ? ➡ _____ • Elle n'était pas attendue. ➡ _____

7 Conjugue les verbes au passé composé.

■ **1.** Ils **REGARDER** _____ un match. • Elles **REVENIR** _____ vite.

■ **2.** Ma sœur **ENTRER** _____ dans une boutique et **CHOISIR** _____ une robe.

■ **3.** Ces rosiers **ÊTRE PLANTÉ** _____ , ils **FLEURIR** _____ mais **SE FANER** _____ très vite.

8 **J'APPLIQUE** pour lire

Hélène a été bouleversée par cet aveu, elle a longtemps hésité, mais a finalement accepté, poussée par la déesse Aphrodite. Les marins de Pâris avaient tout préparé pour le départ. Pâris est monté avec Hélène sur le plus grand bateau, Aphrodite a envoyé des vents favorables et ils se sont rapidement éloignés des rivages de Sparte.

a) Souligne en bleu les participes utilisés avec *avoir* et en rouge ceux utilisés avec *être*.

b) Relève un participe passé utilisé sans auxiliaire :
_____

c) Réécris la première phrase en remplaçant *Hélène* par *Hélène et sa servante* :
_____
_____
_____

9 **J'APPLIQUE** pour écrire

Raconte, à ton tour, une histoire où un personnage a fait le choix, comme Hélène, de suivre son amour.

Consigne
• passé composé
• 1 participe utilisé comme adjectif

Chacun son rythme

Coche la couleur que tu as le mieux réussie.
☐ Relève de nouveaux défis ! ➡ exercices 12, 13, p. 65
☐ Améliore tes performances ! ➡ exercices 14, 15, p. 65
☐ Prouve que tu es un champion ! ➡ exercice 16, p. 65

Les homophones de *être*

■ **1.** Méli-mélo **Complète les phrases avec les homophones proposés.**

est • et • es • son • sont • mes • m'est • c'est • ses • s'est

1. Pierre .... Paul .... à la plage.

2. .... scooter est en panne.

3. Où .... -tu ?

4. Il .... impossible de te raconter .... aventures.

5. .... bien, Claire a retrouvé .... clés.

6. Il .... parti à l'heure mais .... perdu en route.

■ **2.** Quiz **Coche les propositions justes.**

☐ *Es* et *est* peuvent se remplacer par *étais* / *étaient*.

☐ *Est* et *sont* peuvent se remplacer par *était* / *étaient*.

☐ *C'est* et *ces* peuvent se mettre au singulier.

☐ *S'est* est toujours suivi d'un participe passé.

■ **3.** Mots à la loupe **Complète les phrases par un homophone de *être*.**

1. Mes amis ne .... pas encore partis.

2. Il a bien préparé .... voyage.

3. Yan .... venu te dire que tu .... la plus belle.

4. J' .... reçu un cadeau pour ma fête .... mon anniversaire.

■ **4.** Labo des mots **Complète les phrases par des homophones de la leçon.**

1. Toi .... moi sommes frères.

2. .... frère est là.

3. Elle .... contente.

4. Elle .... perdue.

5. Tu as gagné : .... bien.

■ **5.** Devinette **Barre tous les homophones de la leçon pour trouver l'énoncé d'une devinette que tu devras résoudre.**

queletsportsontunestserpentson
détestemes-t-ilseslec'estplus ?

Devinette : ....

....

Réponse : ....

■ **6.** Mots mêlés **Retrouve dans la grille des homophones de la leçon et utilise-les pour compléter les phrases.**

S	H	S	S'	C'
V	O	O	E	E
W	F	N	S	S
E	S	T	T	T
E	U	Y	E	T

1. Elle .... partie.

2. Il .... enfui, ... dommage.

3. .... frère .... sa sœur .... jumeaux.

4. Tu .... accueillante.

5. Elle a reçu .... amis.

Les homophones de *avoir*

■ **7.** Remue-méninges **Complète les phrases avec les homophones proposés.**

a • à • la • là • on • ont • l'ai • les • ta • t'a

1. Elles .... téléphoné.

2. Julie .... raison ....

3. .... conduit .... l'école.

4. .... vérité .... étonné.

5. Je .... rencontré avec .... sœur.

■ **8.** Quiz Coche les propositions justes.

☐ *On* et *ont* peuvent se remplacer par *avaient*.

☐ *As* et *a* peuvent se remplacer par *avais* / *avait*.

☐ *La* et *l'a* peuvent se remplacer par *les*.

☐ *Là* peut se remplacer par *ici*.

■ **9.** Labo des mots **Complète les phrases par des homophones de la leçon.**

1. Tu .... laissé ton sac ....

2. Ils .... réussi un exploit.

3. .... -tu revu ?

4. Je ne .... pas remarqué.

5. Je .... aime beaucoup.

6. .... entendu.

■ 10. *Vrai ou faux ?* **Dans chaque phrase, barre la forme fausse.**

1. Je ne l'es / l'ai pas trouvé.

2. Tu ne l'as / l'a pas vu.

3. Ils ont / on tout vu.

4. Tu t'ai / t'es bien débrouillé.

5. Je les / l'ai bien vu.

6. Il ne m'a /ma rien dit.

7. Je ne tes / t'ai pas reconnu.

■ 11. *Devinette* **Barre tous les homophones pour trouver l'énoncé d'une devinette que tu devras résoudre.**

jeàsuisunafruitontrougel'asavecunl'estnoyauaset lesunel'aiqueueonvertelaquionsuislà-je ?

Devinette : ....

....

Réponse : ....

L'accord du participe passé employé avec *être*

■ 12. *Remue-méninges* **Complète les phrases avec les participes proposés.**

attendu • trouvé • trouvée • trouvés • tombées

1. Nous n'avons rien ....

2. Les résultats .... sont faux.

3. Les feuilles ne sont pas ....

4. Ils ont .... longtemps sous la pluie.

5. Cette petite clé a été .... sous le lit.

■ 13. *Quiz* **Coche les bonnes réponses.**

Le participe passé utilisé :

☐ avec l'auxiliaire *être* s'accorde en genre et en nombre avec le sujet.

☐ sans auxiliaire ne s'accorde pas.

☐ sans auxiliaire s'accorde comme un adjectif.

☐ avec l'auxiliaire *avoir* ne s'accorde jamais avec le sujet.

■ 14. *Méli-mélo* **Complète les phrases à l'aide des verbes que tu mettras au participe passé et que tu accorderas.**

chanter • ranger • finir • couper • venir • intéresser

1. Ces arbres ont été ....

2. Nous avons .... pour l'anniversaire de Julie.

3. Ils ne sont pas ....

4. Nous avons été très .... par ce film.

5. Le dîner sera-t-il .... à 20 heures ?

6. Les chambres sont bien ....

■ 15. *Charade*

Mon premier et **mon quatrième** sont la même note de musique. **Mon deuxième** et **mon troisième** sont des consonnes. **Mon tout** est un participe passé que tu accorderas pour compléter la phrase :

Toutes les données ont été ....

....

■ 16. *Pyramide* **Complète cette pyramide avec des participes correspondant aux définitions, puis place chacun dans la phrase qui convient.**

1. Fait par les yeux.

2. Se dit de livres.

3. Contraire de *donné*.

4. Contraire de *partis*.

5. Brisée.

6. Avalées.

7. Réalisé.

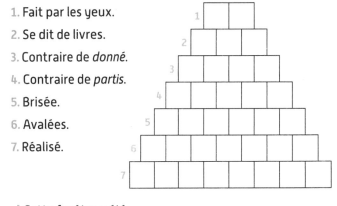

a) Cette fenêtre a été ....

b) Le rendez-vous a été ....

c) Nous avons .... un film.

d) Le travail a été bien ....

e) Ces livres n'ont pas encore été ....

f) Les cerises ont été .... par les enfants.

g) Pourquoi sont-ils .... aujourd'hui ?

23 Je sais distinguer les terminaisons -er, -é, -ais...

J'observe

> Voulez-vous me raconter l'histoire qui est arrivée à votre sœur quand elle était en vacances ?

Quel est le point commun entre les terminaisons en gras ? ....

Relève celles qui correspondent à des verbes conjugués : ...., **à un infinitif :** ....,
à un participe : ....

Je retiens

A COMMENT RECONNAÎTRE LA TERMINAISON -ER ?

• C'est une terminaison d'**infinitif**. On **remplace** par l'infinitif d'un **autre groupe** : *voir, prendre, pouvoir, dire... Je vais te **raconter** (dire) une histoire.*

B COMMENT RECONNAÎTRE LA TERMINAISON -É (E) (S) ?

• C'est une terminaison de **participe passé**. On **remplace** par le participe d'un **autre groupe** : *fini, pris, dit, vendu... Cet événement est **arrivé** (fini) hier.*

C COMMENT RECONNAÎTRE LA TERMINAISON -EZ ?

• C'est une forme verbale **conjuguée** à la **2ᵉ personne du pluriel**.
• On **remplace** par la même personne d'un verbe d'un **autre groupe** : *vendez, finissez, partez...*
   *Vous **aimez** (partez) **raconter** (dire) des histoires.*

⚠ Les formes en *-ez* sont souvent précédées du pronom *vous*, mais ce pronom peut aussi précéder d'autres formes ou n'être pas exprimé (ordre).
   *Je n'ai pas **pensé** (pris) à vous **raconter** (dire, et non dites) cette histoire. **Entrez** vite !*

D COMMENT RECONNAÎTRE LES TERMINAISONS -AI, -AIS, -AIT, -AIENT ?

• Ce sont des formes **conjuguées** de **passé simple** (*ai* : 1ᵉʳ groupe, 1ʳᵉ pers. du sing.) et d'**imparfait** de n'importe quel groupe. On **remplace** par un **autre temps** (présent, passé composé).
   *Je me **promenais** (promène, suis promené) tous les matins.*
• Si le sujet est *je* et le verbe du **1ᵉʳ groupe**, on remplace par un verbe du **3ᵉ groupe**.
   *Je le **regardai** (vis) soudain, mais je le **regardais** (voyais) sans arrêt.*

Je m'entraîne

1 Complète les verbes par *-é* ou *-er*, en indiquant la forme de remplacement utilisée.

▢ **1.** Nous avons bien voyag........ (............). • Ils ont décid........ (............) de regard........ (............) un film.

▨ **2.** Qui t'a parl........ (............) de cela ? • J'ai oubli........ (............) de te donn........ (............) le code.

▮ **3.** N'as-tu pas oubli........ (............) d'apport........ (............) ton maillot ?

2 Complète les verbes par *-ez*, *-é*, *-és* ou *-er*, en indiquant la forme de remplacement utilisée.

1. Vous pens_____ (_____) qu'il est arriv_____ (_____). • Vous jou_____ (_____) bien, mais il faut rentr_____ (_____).

2. Souri_____ (_____). • Ils ne sont pas entr_____ (_____) par la bonne porte. • Je pense vous retrouv_____ (_____).

3. Il vous a confi_____ (_____) ses clés. • Ne rêv_____ (_____)-vous pas de retourn_____ (_____) là-bas ?

3 Complète les verbes en indiquant la forme de remplacement utilisée.

-é *-er* *-ai* *-ais* *-ait*

1. Tu ne m'écout_____ (_____) pas. • Au lieu de m'écout_____ (_____), tu jou_____ (_____).

2. Il te cherch_____ (_____) depuis longtemps quand il a appel_____ (_____) à la maison.

3. Je lui adress_____ (_____) la parole, étonn_____ (_____) de le rencontr_____ (_____) là.

4 Barre les terminaisons fausses.

1. Ils n'ont pas utilis é / er le four.
• Autrefois, je jou ais / er au football.

2. Ils ne veulent pas all er / és march er / é.
• Ils ont ét é / aient très étonn er / és.

3. Termin er / é ce devoir pour demain me sembl er / ait difficile ; ne trouv ez / er-vous pas ?

5 Complète par une forme du verbe entre parenthèses.

1. Tu ne nous as pas (signaler) _____ qu'il fallait (arriver) _____ si tôt.

2. Vous n'(utiliser) _____ pas le portable que je vous ai (prêter) _____ .

3. Il vous a (confier) _____ ses clés.
• Je (désirer) _____ une glace.

6 Voici une liste de verbes du 1ᵉʳ groupe : utilise-les bien orthographiés pour compléter les phrases.

apprécier • ramasser • appeler • toucher • demander • aider • placer • laisser • pincer

1. Vous devez _____ les feuilles mortes, comme je vous l'avais _____ .

2. Ne _____ pas, vous allez vous _____ ! • J'avais _____ un taxi.

3. _____ -vous bien afin d' _____ le spectacle. • _____ -moi vous _____ .

7 **JE CONSOLIDE** mon orthographe

Complète avec la bonne finale verbale.

É / ER Nous avons oubli____ de ferm____ la porte. • Ils ont patin____ sur le lac gel____, il ne faut pas les imit____ .

É / ÉS / ÉES Elles n'ont jamais jou____ à ces jeux réserv____ aux petits enfants. • Nous avons achet____ des fleurs coup____ . • Ils se sont regard____ mais n'ont pas parl____ .

ER / EZ / AIT Retourn____ -vous. • Il ne vous regard____ pas. • N'oubli____ pas de vous renseign____ .

ÉS / ER / EZ / AIS / AIENT Où all____ -ils ? • Elles vous apport____ des fruits achet____ au marché. • Je souhait____ vous emmen____ visit____ un musée, mais vous préfér____ sans doute all____ au cinéma.

AI / AIS Ce jour-là, je me lev____ à 6 heures, alors qu'habituellement je somnol____ jusqu'à 10 heures.

J'observe

J'aime la mythologie. Ovide est l'auteur que je préfère.

Combien y a-t-il de phrases ? ....

Comment commencent-elles et comment se terminent-elles ? ....

Combien y a-t-il de verbes dans la deuxième phrase ? ....

Je retiens

 A COMMENT RECONNAÎTRE UNE PHRASE ?

• Une phrase se compose d'**un ou plusieurs mots** qui **font sens**.

• Elle commence par une **majuscule**, se termine par une **ponctuation forte** (. ? !) et comporte au moins un **verbe conjugué**.

> *J'aime la mythologie.*

 B QU'EST-CE QU'UNE PHRASE SIMPLE ?

• Une phrase simple ne comporte qu'**un seul verbe conjugué**.

> *Ils **sont partis** très tôt ce matin.*

C QU'EST-CE QU'UNE PHRASE COMPLEXE ?

• Une phrase complexe comporte **au moins deux verbes conjugués**.

• On appelle **proposition** l'ensemble des mots qui se rattachent au **même verbe** conjugué.

> *[Je l'**ai appelé** hier,] [mais il n'**était** pas là.]*
>   1ʳᵉ proposition   2ᵉ proposition

• Les propositions peuvent être **séparées** par une **ponctuation faible** (, ; :) ou **reliées** par un **mot invariable** (et, mais, donc, ensuite...).

> *[Il est arrivé en courant,] [a retiré son manteau] [**et** s'est assis parmi nous.]*

• Certaines propositions sont **introduites** par que, qui, quand, comme... et n'ont pas de sens isolées du reste de la phrase ; on les appelle **propositions subordonnées**.

> *J'ai lu un livre **qui m'a beaucoup intéressé**.*

Je m'entraîne

1 Souligne les verbes conjugués, puis coche la bonne réponse.

	PHRASE SIMPLE	PHRASE COMPLEXE
1. Molière critique souvent les médecins.	☐	☐
2. Molière amuse les spectateurs mais les fait aussi réfléchir.	☐	☐
3. Les médecins qui apparaissent dans ses pièces sont ridicules.	☐	☐

2 Délimite les propositions et entoure le mot ou la ponctuation qui les sépare.

◻ **1.** Nous vous attendrons, ce n'est pas la peine de vous presser.

◼ **2.** Ce chien est très gros mais il n'est pas méchant : il n'a jamais mordu personne.

◼ **3.** Nous avons visité la ville ensuite nous sommes rentrés lorsqu'il a commencé à pleuvoir.

3 Transforme ces couples de phrases simples en une phrase complexe ou les phrases complexes en une phrase simple.

◻ **1.** Il est arrivé vers midi. Il est reparti à seize heures. ....

◼ **2.** Je vais t'aider à ranger avant que tu partes. ....

◼ **3.** Dépêche-toi de rentrer, il est tard. ....

Tu peux ajouter et supprimer des mots.

4 Utilise les noms proposés de façon à obtenir les phrases demandées.

◻ **1.** PHRASE SIMPLE   courses / supermarché / matin

◼ **2.** PHRASE COMPLEXE : 2 PROPOSITIONS   soir / théâtre / amis / retard

◼ **3.** PHRASE COMPLEXE : 3 PROPOSITIONS   plage / baignade / volley-ball / orage / maison

5 Ajoute une proposition à ces subordonnées pour qu'elles aient un sens.

◻ **1.** .... qui s'appelle « Pussy ».

◼ **2.** .... quand il pleut.

◼ **3.** .... pour que tu ne t'ennuies pas.

6 **J'APPLIQUE** pour lire

Enfin, Dédale a terminé son ouvrage. [Il se place entre les deux ailes, parvient à équilibrer son corps et se balance dans les airs.] Puis il s'adresse à son fils et lui donne quelques conseils : « Quand tu voleras, Icare, maintiens-toi au milieu du ciel. Si tu descends trop bas, l'eau alourdira tes plumes. Si tu montes trop haut, le soleil les brûlera. »

a) Relève une phrase simple : ....

b) Délimite par un trait les propositions dans la phrase entre crochets. Combien y en a-t-il ? ....

c) Dans le passage entre guillemets, combien y a-t-il de phrases ? .... Souligne les propositions subordonnées.

7 **J'APPLIQUE** pour écrire

Imagine que toi aussi tu as le pouvoir de voler. Raconte ce que tu feras en priorité.

Consigne
• 5 lignes
• 2 phrases simples
• 2 phrases complexes

Chacun son rythme

Coche la couleur que tu as le mieux réussie.

◻ Relève de nouveaux défis ! ⟶ exercices 1, 2, p.72
◼ Améliore tes performances ! ⟶ exercices 3, 4, p.72
◼ Prouve que tu es un champion ! ⟶ exercices 5, 6, p.72

25 Les groupes de mots à l'intérieur d'une phrase

J'observe

Il y a bien longtemps, le fleuve Pénée eut une fille. Celle-ci s'appelait Daphné.

Ces deux phrases sont-elles simples ou complexes ? ....

La première phrase conserve-t-elle un sens si tu supprimes le groupe souligné ? ....

Peux-tu supprimer un mot dans la deuxième phrase ? ....

Je retiens

A LES ÉLÉMENTS ESSENTIELS D'UNE PHRASE SIMPLE

Les éléments essentiels constituent la **phrase minimale**. Ils dépendent du **sens du verbe**.

• **Sujet + verbe d'action** ou **verbe d'action à l'impératif** : *Ma sœur arrive. Viens !*

• **Sujet + verbe d'état + attribut du sujet** : *Le ciel est bleu.* ▶ fiche 27

• **Sujet + verbe d'action + complément du verbe** : *J'ai fait un rêve.* ▶ fiche 29

B LES ÉLÉMENTS NON ESSENTIELS D'UNE PHRASE SIMPLE

• **Complément(s) du verbe** : *Écris une lettre à ta grand-mère.* → On peut **supprimer** l'un des deux compléments, la phrase conserve un sens.

• **Complément(s) de phrase** qui renseigne(nt) sur les circonstances de l'action. ▶ fiche 30

    Ce matin, j'ai rangé ma chambre avec soin. → On peut **supprimer** ou **déplacer** les compléments, la phrase conserve un sens.

Je m'entraîne

1 Barre les groupes qui ne peuvent pas constituer une phrase.

   1. Viens. • Chante. • As fini. • Il a.

   2. Sors. • Tu es. • Nous avons dormi. • Nous faisons. • Marchent.

   3. Il vient. • Sois. • Nous sommes. • Chantes. • Arrêtons.

> Les deux éléments d'un **temps composé** peuvent être séparés par un mot.

2 Souligne le verbe conjugué et délimite par un trait les groupes qui constituent ces phrases.

   1. Le stade est grand. • Je rentre de la plage.

   2. Je l'ai rencontré au marché. • Je n'ose pas entrer. • Nous n'avions pas fini le repas.

   3. Où l'avez-vous vu ? • As-tu déjà essayé de sauter en parachute ? • Il a été surpris par l'orage.

3 Complète les phrases avec les groupes de mots proposés.

ont organisé • un rhume • votre parapluie • un film • très contents • avons fait des courses • vos affaires • les enfants • mes amis • vous

   1. Nous sommes .... • Prenez .... • Ils ont attrapé ....

   2. .... avez oublié .... • .... ont regardé ....

   3. .... une grande fête. • Ma sœur et moi ....

4 Précise si les groupes soulignés sont attributs du sujet ou compléments du verbe.

	ATTRIBUT DU SUJET	COMPL. DU VERBE
1. Elle est grande.	☐	☐
2. Elle prend ses clés.	☐	☐
3. Ils se souviennent de toi.	☐	☐
4. Il semble joyeux.	☐	☐
5. Cette histoire paraît invraisemblable.	☐	☐
6. Elle croit que tu n'es pas rentrée.	☐	☐

*Vérifie si le verbe est d'**état** ou d'**action**.*

5 Barre les compléments du verbe que l'on peut supprimer.

1. Cette route traverse le village.
   • Chris a dit la vérité à sa mère.
2. Il prend des céréales tous les matins.
   • Il a mangé tous les gâteaux.
3. Louise a aidé son frère à ranger.
   • Il change d'idée tous les jours.

6 Barre les compléments de phrase.

1. Ce matin, nous avons travaillé.
   • J'ai cueilli des fleurs dans mon jardin.
2. Autrefois, à cet endroit, on avait installé une aire de jeux.
3. Ici, très souvent, les pluies sont abondantes en automne et en hiver.

7 Ajoute le nombre de compléments de phrase demandé.

1. **2 COMPL.** .... ils ont acheté une nouvelle maison ....
2. **2 COMPL.** .... on a aperçu un animal ....
3. **3 COMPL.** .... ils voyagent ....

8 J'APPLIQUE pour lire

Pyrame était un beau jeune homme, sa voisine s'appelait Thysbé. Très vite, ils tombèrent amoureux. [Au fil du temps, leur amour grandit.] Ils voulaient se marier, malheureusement leurs pères ne voulaient pas. Ils ne pouvaient pas se parler, ils y parvinrent cependant grâce à une fissure dans le mur qui séparait leurs deux maisons.

a) Délimite les groupes qui constituent la 2e phrase.

b) Quel complément de phrase peux-tu supprimer dans la phrase entre crochets ? ....

c) Quelle phrase ne comporte aucun complément de phrase ? ....

d) Barre la proposition fausse : Le 1er groupe souligné est : complément du verbe / attribut du sujet. Le 2e groupe souligné est : complément du verbe/ attribut du sujet.

9 J'APPLIQUE pour écrire

À ton tour, raconte une ruse qui t'a permis de faire quelque chose qui te tenait à cœur.
Tu peux écrire à la 1re ou à la 3e personne.

Consigne
• 5 lignes
• 2 compléments de phrase
• 1 complément du verbe

Chacun son rythme

Coche la couleur que tu as le mieux réussie.

☐ Relève de nouveaux défis ! ➜ exercices 7, 8, 9, p.73
☐ Améliore tes performances ! ➜ exercices 10, 11, 12, p.73
☐ Prouve que tu es un champion ! ➜ exercices 13, 14, p.73

Les phrases simples et complexes

■ **1.** Chasse aux intrus **Barre les groupes de mots qui ne sont pas des phrases.**

1. Ils ne nous ont pas reconnus.

2. Route de campagne.

3. Je crois que nous serons en retard.

4. Rouge vif et vert pomme.

5. Longtemps attendu.

6. Où allez-vous ?

Comment reconnais-tu les phrases ? Donne deux indices.

....

....

....

■ **2.** Range-phrases **Souligne en bleu les phrases simples et en rouge les phrases complexes.**

1. Nous avons passé une excellente journée.

2. Reste là et écoute-moi.

3. Je pense qu'il n'est pas trop tard.

4. J'ai douze ans aujourd'hui.

5. Où cours-tu ainsi ?

Comment fais-tu pour distinguer les phrases simples des phrases complexes ?

....

....

■ **3.** Quiz **Coche la ou les phrases justes.**

☐ Une phrase simple peut comporter deux verbes conjugués.

☐ Une phrase complexe est toujours plus longue qu'une phrase simple.

☐ Une phrase complexe comporte deux ou plusieurs verbes conjugués.

☐ Une phrase complexe comporte au moins deux propositions.

■ **4.** Méli-mélo **Retrouve quatre mots afin de compléter la phrase. (Tu peux lire dans tous les sens et utiliser plusieurs fois la même lettre.)**

W	T	O	U	T	D
M	O	N	D	E	N
V	E	H	H	I	E
C	J	O	T	N	T
M	R	N	G	E	T
S	K	V	B	H	A

Phrase : .... le ....

Est-ce une phrase simple ou complexe ? ....

■ **5.** Lettres mêlées **Remets ces lettres en ordre pour retrouver les phrases. Souligne les phrases simples et délimite les propositions dans les phrases complexes.**

1. EC LIMF IATET SRET UBAE.

....

2. NOT TCAEL TES TAIFDE.

....

3. HERI, LI TUVALPEI, SONU SNOAV EUJO AXU STECRA.

....

■ **6.** Charades **Résous les charades pour trouver les 3 mots qui te permettront de compléter la phrase.**

1. **Mon premier** est présent dans toutes les phrases. On dort sur **mon deuxième**, on respire **mon troisième** et **mon tout** est le 1er mot.

Réponse : ....

2. **Mon premier** est une lettre avec un accent. **Mon second** est un son provoqué par la peur ou la douleur et **mon tout** est le 2e mot.

Réponse : ....

3. **Mon premier** est le petit de la vache. **Mon second** est le contraire de *rapide*. **Mon tout** est le 3e mot.

Réponse : ....

Phrase : .... a ....

Le Médecin ....

Les groupes de mots à l'intérieur d'une phrase

7. *Chasse aux intrus* **Barre les verbes qui ne peuvent pas constituer une phrase.**

Viens. • Regarde. • A fait. • Rentrons. • Suis. • Entrez. • Attends. • N'a pas. • Faire. • Joue. • Ne reviens pas.

8. *Vrai ou faux ?* **Coche les propositions justes.**

☐ Une phrase comporte au moins deux mots.

☐ Une phrase peut être constituée d'un seul mot.

☐ Un verbe est souvent complété par un ou plusieurs compléments.

☐ On ne peut pas supprimer les compléments de phrase.

9. *Range-mots* **Place les mots correctement pour compléter les phrases.**

on • regardent • le loup • ce jeu • faisons partie

1. Les enfants _____ la télévision.

2. _____ va à la plage.

3. Julie et moi _____ du même groupe.

4. _____ est dangereux.

5. Le petit chaperon rouge a rencontré _____ .

10. *Remue-méninges* **Souligne les phrases qui ont un sens, et précise à côté de chaque phrase incomplète l'élément manquant.**

1. Ils ont bien travaillé. _____

2. Est très beau. _____

3. Nous avons envoyé. _____

_____

4. Viens vite. _____

5. A parcouru 10 kilomètres. _____

_____

11. *Méli-mélo* **Remets ces mots dans l'ordre de façon à retrouver deux phrases. Délimite ensuite par un trait les groupes qui les constituent.**

la • à • soleil • conduit • l' • plage • route • se • ouest • le • couche • cette • à.

1. _____

2. _____

12. *Jeu de pendu* **Retrouve les compléments du verbe manquants (une lettre par tiret).**

1. Il a oublié S _ N P _ _ _ _ _ _ _ _ _ _ _ E.

2. Il ne pense jamais à C _ _ _ _ _ _ _ _ R S _ N
   B _ _ _ T.

3. Nous participons au C _ _ _ _ _ _ _ _ _ T.

13. *Charade*

Mon premier est le petit de la vache. **Mon deuxième** est le contraire de *court*. **Mon troisième** est notre planète. **Mon quatrième** ne dit pas la vérité. **Mon tout** est un complément de phrase qui complétera la phrase ci-dessous.

Il a pris la mauvaise route _____

_____ .

14. *Pyramide* **Complète la pyramide à l'aide des définitions, puis utilise les mots trouvés pour compléter les phrases inachevées. (Tu devras parfois ajouter un déterminant.)**

1. synonyme d'*ici*

2. animal aux longues oreilles

3. brille la nuit

4. contraire de *campagne*

5. plus petit qu'une route

6. les parents plus les enfants

7. sport qui se pratique dans l'eau

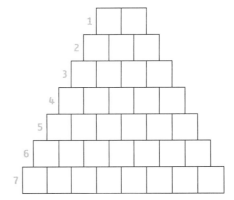

Surligne ensuite en jaune les compléments du verbe et en rose les compléments de phrase.

a) Ne me demande pas de décrocher _____ .

b) Prends _____ et viens _____ .

c) Nous avons fait nos courses en _____ .

d) Il nous a présenté _____ .

e) Nous avons fait une promenade sur _____ .

f) Je pratique _____ .

26 Le sujet et l'accord sujet-verbe

Les enfants jouent. • Je viendrai te voir demain.

Relève les verbes conjugués : ....

Qui fait l'action exprimée par ces verbes ? ....

Je retiens

 A COMMENT RECONNAÎTRE UN SUJET ?

• Le sujet indique **de quoi** ou **de qui on parle** dans la phrase.
Pour le trouver, on pose la question « *qui* ou *qu'est-ce qui* + verbe ? ».

> *Orphée épouse Eurydice.* (Qui épouse Eurydice ?)
> *La maison semble déserte.* (Qu'est-ce qui semble désert ?)

• Il est **obligatoire** avec un verbe conjugué (sauf à l'impératif) et ne peut **pas être supprimé** (fonction essentielle).

• Il est souvent placé **avant** le verbe, mais peut être **inversé** (question, dialogue…).

> *Pierre et Paul appellent leur chien.* – *Où vas-tu ?, demande-t-il.*

B COMMENT ACCORDER UN VERBE CONJUGUÉ AVEC SON SUJET ?

• Le verbe s'accorde **en nombre** et **en personne** avec **son sujet**.

> *Il va. Nous allons. Les enfants jouent.*

C LES CLASSES GRAMMATICALES DU SUJET

• **Nom** ou **groupe nominal** : *Ma petite sœur arrive.*

• **Pronom** : *Elle apporte son goûter.*

• **Verbe** ou **groupe infinitif** : *Dormir toute la journée me ferait plaisir.*

• **Proposition subordonnée** introduite par *que* : *Qu'il soit déjà arrivé m'étonne.*

Je m'entraîne

1 Souligne le ou les sujets dans les phrases.

1. Nous sommes arrivés à 8 heures.
• Les enfants jouent sur la plage.

2. Ce matin, le temps était ensoleillé.
• Partir en voyage est une bonne idée.

3. Où vont-ils ? • Qu'il n'ait pas été blessé est le plus important.

2 Barre le ou les sujets qui ne conviennent pas.

1. Je / tu / elle **connais le chemin**.
• Elle / Julie et Léa / ils **sont là**.

2. **Que prends**-tu / il / elle ?
• **Où vont** tous ces bateaux / ils / Jules et toi ?

3. Lui et moi / nous / ils **sont les premiers**.
• Mon frère et moi / ma sœur et lui / ils **travaillent au même endroit**.

3 Souligne tous les sujets et encadre les sujets inversés.

1. Où allez-vous ? • Tout le monde était d'accord. • Ton pull et le mien sont identiques.

2. « Je suis fatiguée », déclara Julie. • Où sont passées mes clés ? • Lire est mon passe-temps favori.

3. Autrefois, ici, se trouvait un château. • Qui y habitait ?

> Repère les **verbes de parole** et les **phrases interrogatives** !

4 Souligne les sujets et encadre ceux qui sont des pronoms.

1. Le dieu paraît, il ne prononce pas une parole. Cela étonne tout le monde.

2. Mon histoire est intéressante mais la sienne est plus amusante. Laquelle préférez-vous ?

3. Lui et moi avons longtemps été amis ; quitter nos amis nous a rendus tristes.

5 Accorde les verbes avec leur sujet.

> Le sujet ne se trouve **pas toujours** juste **devant** le verbe !

1. Ce pantalon et cette veste appartenai............ à mon père ; je les reconnai.............

2. Travaille............-tu toujours autant ? • Ils nous présenteron............ leur exposé.

3. Lui et moi voyageron............ dans le même train. • Où se range............ ce plat et cette assiette ?

6 Souligne les sujets inversés, puis classe les numéros des phrases.

1. Que fais-tu ?

2. Arrivera-t-il à temps ?

3. « Que vous êtes joli ! », déclara le renard.

4. « À huit heures », me répond-il.

5. Ce jour-là commença l'aventure.

6. C'est en automne que tombent les feuilles.

verbe de parole (dialogue)	....
phrase interrogative	....
inversion non obligatoire	....

7 **J'APPLIQUE** pour lire

Eurydice **court** dans une prairie, un serpent la **mord** au pied et elle **rend** le dernier souffle. Orphée pleure et décide d'aller supplier Perséphone et Pluton, les souverains des Enfers ; il effleure les cordes de sa lyre et se met à chanter. Tandis que résonnent ses paroles et que les accords de sa lyre se mêlent à sa voix, les ombres des morts pleurent autour de lui et voici que s'immobilisent pour l'écouter tous les criminels enfermés dans le Tartare.

a) Indique le sujet des trois verbes en gras et précise leur classe grammaticale.

court : ....

mord : ....

rend : ....

b) Quel pronom personnel est sujet de deux verbes ? ....

....

c) Encadre, dans la dernière phrase, deux verbes dont le sujet est inversé, puis souligne les sujets.

8 **J'APPLIQUE** pour écrire

Eurydice est victime d'une piqûre de serpent. À ton tour, fais le récit d'un accident survenu au cours d'une promenade ou d'un jeu.

Consigne
• 5 lignes
• 4 verbes conjugués

Coche la couleur que tu as le mieux réussie.

Relève de nouveaux défis ! ⟶ exercices 1, 2, 3, p. 78

Améliore tes performances ! ⟶ exercices 4, 5, 6, p. 78

Prouve que tu es un champion ! ⟶ exercices 7, p. 78 et 8, p. 79

Chacun son rythme

27 L'attribut du sujet et son accord avec le sujet

J'observe

Arachné était une jeune fille très habile.

Le verbe de cette phrase est-il un verbe d'action ou d'état ? ....

Relève le groupe qui nous renseigne sur Arachné : ....

Je retiens

 A QU'EST-CE QU'UN ATTRIBUT DU SUJET ?

- L'attribut du sujet **donne des renseignements** sur le sujet : qualité, défaut, métier, nom…
- Il ne peut **pas être supprimé** (fonction essentielle).
     *Ma sœur est **médecin**. Minerve est **jalouse**.*
- Il se rencontre souvent **après les verbes d'état** : *être, paraître, sembler, avoir l'air, passer pour…*
     *Elle <u>semble</u> **joyeuse**. Il <u>passe pour</u> **un menteur**.*
- Il se rencontre aussi **après d'autres verbes** comme *rester, demeurer, s'appeler, tomber, vivre…*
     *Il <u>reste</u> **calme**. Il <u>s'appelle</u> **Jupiter**. Il <u>est tombé</u> **amoureux**. Ils <u>vécurent</u> **heureux**.*

B COMMENT ACCORDER L'ATTRIBUT DU SUJET ?

- L'attribut s'accorde **en genre** et **en nombre** avec le **sujet**.
     *<u>Les enfants</u> sont **grands**.* (masculin pluriel)   *<u>Sandrine</u> est **infirmière**.* (féminin singulier)

C LES CLASSES GRAMMATICALES DE L'ATTRIBUT DU SUJET

- **Nom** ou **GN** : *Athéna est **une déesse intelligente**.*
- **Adjectif qualificatif** : *Ses mains étaient **agiles**.*
- **Pronom** : *Ce livre est **le mien**.*
- **Verbe à l'infinitif** ou **groupe infinitif** (parfois introduit par *de*) : *Mon rêve est **de voyager**.*

Je m'entraîne

 1 Souligne les attributs du sujet.

   1. Minerve est une déesse. • Arachné est une jeune brodeuse. • Elle semble habile.

   2. Le père de Minerve s'appelle Jupiter. • Arachné passe pour la meilleure brodeuse de Lydie.

Les attributs du sujet donnent toujours **des renseignements** sur le sujet.

 2 ■ Souligne les attributs du sujet et barre les phrases qui n'en contiennent pas.

Son souhait est d'être la meilleure. • Elle espère rivaliser avec Minerve. • Elle est arrivée toute contente. • La foule admire ses mains agiles. • Arachné est devenue une araignée.

3 Complète ces phrases par un des attributs du sujet proposés.

grand   étonnante   un grand acteur   Jules   de dormir   les miens

1. Ton histoire semble _____ . • Mon petit frère s'appelle _____ .

2. Il paraît _____ . • Ces livres sont _____ .

3. Son père passait pour _____ . • Mon plus grand désir est _____ .

4 Accorde les attributs du sujet entre parenthèses.

1. Mes animaux préférés sont (le cheval) _____ .

2. Ces petits chats sont (noir) _____ , mais leur mère est (blanc) _____ .

3. Sa sœur est (un excellent acteur) _____ et ses frères sont
(un agent réputé) _____ .

5 Souligne les attributs du sujet et classe-les.

1. Arachné était orgueilleuse.
• Minerve était la déesse des artisans.

2. Contempler ses toiles était un vrai plaisir.
• Elle semblait habile.

3. Le plus important pour elle était
de dépasser Minerve. • Son rêve était
celui-là. • Sa famille vivait heureuse en Lydie.

Nom ou GN	Adjectif qualificatif
....	....
....	....
....	....

Pronom	Infinitif
....	....
....	....

6 Complète par un attribut du sujet de la classe grammaticale indiquée.

1. Ce devoir m'a semblé **ADJECTIF** _____ .

2. Cet élève est considéré comme **GN** _____ .

3. Le mieux est **INFINITIF OU GROUPE INFINITIF** _____ .

7 **J'APPLIQUE** pour lire

Arachné a battu la déesse lors d'un concours de broderie.
Minerve était <u>furieuse</u>, elle frappa la jeune fille et
l'aspergea d'un liquide verdâtre : c'était un poison ; aussitôt
disparurent les cheveux, le nez et les oreilles, le corps
devint tout <u>petit</u>, et bientôt elle devint une araignée.

a) **Indique la fonction des adjectifs**
soulignés : _____
_____
_____

b) **Relève un nom attribut du sujet :**
_____

c) **Encadre les sujets du verbe en gras.**

8 **J'APPLIQUE** pour écrire

Imagine que, comme Minerve, tu as le pouvoir de transformer un
être humain en animal. Indique qui tu transformerais, quel animal
tu choisirais et pourquoi.

Consigne
• 4 phrases
• 2 attributs du sujet

Chacun
son rythme

Coche la couleur que
tu as le mieux réussie.

☐ Relève de nouveaux défis ! ⟶ **exercices 9, 10, p.79**
▨ Améliore tes performances ! ⟶ **exercices 11, 12, 13, p.79**
▨ Prouve que tu es un champion ! ⟶ **exercices 14, 15, 16, p.79**

Chacun son rythme

Le sujet et l'accord sujet-verbe

1. Cache-cache **Barre les mots en gras qui ne sont pas sujets.**

1. Demain, **nous** partirons très tôt.

2. Combien sont-**ils** ?

3. Ce soir, **mes amis** sont arrivés.

4. Le soir est le meilleur moment de la journée.

5. Dans ce château, **la vaisselle** était en or.

Comment reconnais-tu les sujets ?

....
....
....

2. Quiz **Coche la ou les bonnes réponses.**

Le sujet : ☐ est le premier mot de la phrase.

☐ est toujours placé avant le verbe.

☐ est parfois inversé.

☐ indique souvent qui fait l'action.

3. Méli-mélo **Complète le début des phrases avec le verbe et le sujet qui conviennent.**

SUJETS les deux nouvelles élèves • mon frère et moi • tu • je • vous • Sindbad

VERBES est • ont l'air • jouons • vais • avez répondu • ressembles

1. .... trop vite.
2. .... gentilles.
3. .... au foot.
4. .... à ta mère.
5. .... un personnage des *Mille et une nuits.*
6. .... au marché.

4. Charade

Mon premier dure 60 minutes. **Mon deuxième** est la 9e lettre de l'alphabet. **Mon troisième** est un chiffre. **Mon tout** est le sujet de cette phrase :

.... *fut mordue par un serpent.*

5. Lettres mêlées **Remets les lettres dans l'ordre pour retrouver le sujet des phrases.**

1. E C T E T E S O B U S L O ....

m'a permis de retrouver mon chemin.

2. Où vivaient S E L S M O H E M S H T P O U E R S E I I Q R

....
.... ?

6. Remue-méninges **Complète les phrases avec les sujets de la liste. Donne toutes les possibilités.**

vous • elles • mon frère et moi • toutes les deux • nous • ceux-là • Paul et toi

1. ....

sont entièrement d'accord.

2. ....

ne pourrons pas venir vous voir.

3. ....

dites toujours la vérité.

7. Pyramide **Complète cette pyramide à l'aide de sujets adaptés aux phrases proposées. Attention, il y a parfois plusieurs possibilités !**

1. ... a beaucoup travaillé.

2. Un ... a de longues oreilles.

3. ... sommes arrivés en retard.

4. Les ... grecs habitaient l'Olympe.

5. ... charmait les ombres des morts.

6. Un ... mordit Eurydice au pied.

7. Ainsi s'acheva l'... .

8. L' ... a surpris tout le monde.

8. Lettres mêlées Remets les lettres dans l'ordre pour retrouver les sujets des phrases.

1. **3 MOTS** UTELILELE

→ .... sont dans le même groupe.

2. **4 MOTS** TEANISLTEPOTESR

→ .... arriverez plus tard.

3. **6 MOTS** ACSEUMNOMETRIOIMUSONO

→ ....

nous amusons bien.

L'attribut du sujet et son accord avec le sujet

9. Chasse aux intrus Barre les mots et les GN en gras qui ne sont pas des attributs du sujet.

1. Ovide est **un grand poète**.

2. Il est **l'auteur** des *Métamorphoses*.

3. Tout le monde apprécie **les contes mythologiques**.

4. « Tu es **une jeune fille prétentieuse**, lui dit **la déesse** ».

5. Nous avons surtout aimé **l'histoire d'Arachné**.

6. Cette jeune fille était vraiment **ambitieuse**.

10. Quiz Coche la ou les affirmations vraies.

☐ L'attribut du sujet est toujours un adjectif.

☐ L'attribut du sujet renseigne sur le sujet et s'accorde avec lui.

☐ L'attribut du sujet peut être un pronom.

☐ L'attribut du sujet se rencontre après des verbes d'état comme *être* ou *avoir*.

11. Pyramide Complète la pyramide : remplace les attributs du sujet en gras par un adjectif de sens contraire.

1. Il est **habillé**.

2. Le poulet est **cuit**.

3. Le verre est **plein**.

4. Ce terrain est **grand**.

5. Ce véhicule est **lent**.

6. Cet artiste est **peu connu**.

12. Charade

Mon premier est un rongeur. **Mon deuxième** sert à calculer l'aire ou la circonférence d'un cercle. **Mon troisième** est le participe passé du verbe *dire*. **Mon quatrième** est une consonne. **Mon tout** est un nom qui déteste la lenteur et qui est l'attribut du sujet dans la phrase suivante :

Sa principale qualité est la ....

13. Jeu de pendu Retrouve les attributs du sujet et accorde-les.

1. Ces exercices me semblent D _ _ _ _ _ _ _ E _.

2. Sa mère est C H _ _ _ _ _ _ _ _.

3. Sa veste et son pantalon sont très É _ _ _ _ _ T _.

14. Charade

Mon premier est une partie du corps. **Mon deuxième** est un rongeur. **Mon troisième** est le contraire du travail. **Mon tout** est l'attribut du sujet qui manque à cette phrase :

Les pompiers sont toujours très .... :

15. Lettres mêlées Remets les lettres dans l'ordre pour retrouver les attributs, puis indique leur classe grammaticale.

1. Ces fruits sont très X T U J E U

→ ....

2. Elle voudrait devenir S O A T M E O N R

→ ....

3. Sa volonté est de E G R A N G

→ ....

16. Mots mêlés Retrouve six attributs du sujet dans cette grille afin de compléter les phrases.

D	O	R	M	I	R
O	U	A	I	Q	E
U	R	P	E	F	G
X	S	A	L	U	A
W	H	C	N	B	L
D	Z	E	K	J	P

1. Ce tissu me paraît très ....

2. Son souhait est de ....

3. Cet oiseau semble être un ....

4. Cet animal s'appelle un ....

5. Son aliment préféré est le ....

6. Ce repas fut un ....

Je sais accorder le verbe et l'attribut avec le sujet

J'observe

Les dieux de la mythologie <u>participent</u> à la vie des hommes. Ils sont capables de prendre n'importe quelle apparence.

Avec quel mot s'accorde le verbe souligné ? ....

Quelle est la fonction de *capables* ? ....

Avec quel mot s'accorde-t-il ? ....

Je retiens

 A COMMENT ACCORDER UN VERBE CONJUGUÉ ?

• Le verbe s'accorde en **nombre** et en **personne** avec son **sujet** : *je viens, ils vienn**ent***

• Plusieurs verbes peuvent avoir le **même sujet** : *Il **entre** et **ressort** aussi vite.*

• Quand un verbe a **plusieurs sujets**, il se met **au pluriel** : *Cassim et Ali Baba étai**ent** frères.*

Si les sujets ne sont pas **à la même personne**, le verbe se conjugue au **pluriel** et à **la plus petite personne**.

    *Lui et moi sort**ons** souvent ensemble.*   *Pierre et toi êt**es** les bienvenus.*

    (3ᵉ)   (1ʳᵉ) ➜ (1ʳᵉ du pluriel)   (3ᵉ)   (2ᵉ) ➜ (2ᵉ du pluriel)

Remarque : un verbe qui a pour sujet *on, chacun, tout, tout le monde* se conjugue à la 3ᵉ personne du singulier : *Tout le monde s'amuse.*

 B COMMENT ACCORDER L'ATTRIBUT DU SUJET ?

• L'attribut du sujet s'accorde en **genre et en nombre** avec le **sujet**.

    *Sa femme est une hériti**ère**.* ➜ *Son cousin est un hériti**er**.*

    *Ma sœur est très grand**e**.* ➜ *Mon frère est très grand.*

• Si le sujet est un **verbe à l'infinitif**, l'adjectif attribut est au **masculin singulier**.

    *Travailler trop est **fatigant**.*

Je m'entraîne

1 Retrouve le ou les pronoms personnels sujets de ces verbes.

1. .... sortons • .... chantez   • .... finissent • .... vas

2. .... crains • .... parle et fais   • .... sont • .... es

3. .... finis • .... perd et retrouve   • .... prends • .... danse

2 Accorde ces verbes au présent.

1. je chant_____ • tu fini_____ • il par_____

2. elles arriv_____ • vous all_____ • je per_____

3. vous di_____ • vous fai_____ • tu ven_____

3 Conjugue les verbes au présent.

1. Le chat et le chien **ENTRER** _____.

2. Mon frère et elle **ÊTRE** _____ là.

3. Chacun **JOUER** _____ de son côté.

4 Barre la proposition fausse.

1. Où va / vont-ils ? • Il vous entend / entendent. • Ainsi s'achève / s'achèvent ce conte.

2. Les vois / voient -tu ? • Quand arrivent / arrive-t-on ? • Elle vous les donne / donnent.

3. Je ne les crois / croient pas. • Qu'as / a -tu fait ? • Tout le monde étaient / était là.

5 Accorde les attributs du sujet.

1. Philippe et Pierre sont **FRÈRE** _____. • Ces céréales sont **DÉLICIEUX** _____

2. Faire du sport est **BON** _____ pour toi. • La jupe et la veste sont **ORIGINAL** _____.

3. Julie et sa sœur sont **JUMEAU** _____. • La poule et le coq sont **NOIR** _____.

Le sujet n'est pas toujours placé juste devant le verbe.

6 Réécris ces phrases en mettant le sujet au pluriel s'il est singulier et inversement.

1. Il part bientôt en vacances. → _____

2. Elles arrivent toujours à l'heure. → _____

3. Je n'oublierai pas mon maillot. → _____

4. Nous vous confions notre petit chat. → _____

5. Tu sembles être une excellente nageuse. → _____

6. Vous paraissez pressés. → _____

N'oublie pas d'accorder les attributs et les mots qui se rapportent au sujet s'il y en a !

7 **J'APPLIQUE** pour lire

Jupiter et Mercure <u>entrent</u> dans la chaumière. Philémon et Baucis sont les habitants de cette pauvre maison. [Baucis leur offre l'hospitalité et les fait asseoir. Ensuite, elle ranime le feu et prépare un repas.] Enfin, elle apporte une carafe de vin et là le miracle se produit : au lieu de se vider lorsque le vin est servi, la carafe se remplit ; à la fin du repas, elle est de nouveau pleine.

a) **Pourquoi le verbe souligné est-il au pluriel ?** _____

b) **Quelle est la fonction de** *habitants* **?** _____

c) **Pourquoi est-il au pluriel ?** _____

d) **Réécris le passage entre crochets en remplaçant** *Baucis* **par** *Philémon et Baucis* **:** _____

8 **J'APPLIQUE** pour écrire

Qui n'a jamais rêvé qu'un miracle se produise ? Raconte en quelles circonstances tu aurais souhaité un miracle.

Consigne
• 5 lignes
• 1 verbe accordé avec 2 sujets
• 1 attribut accordé avec 1 sujet pluriel

29 Les compléments du verbe

Je n'ai pas **vu** ta nouvelle voiture. • Je **rêve** d'un bon bain chaud.

Relève les groupes qui complètent les deux verbes en gras : ① ta nouvelle voiture
② d'un bon bain chaud

Quel petit mot introduit le second ?

Je retiens

A COMMENT RECONNAÎTRE UN COMPLÉMENT DU VERBE ?

- Le complément du verbe indique **sur qui** ou **sur quoi s'exerce l'action du verbe**.
- On l'appelle aussi **complément d'objet**.

  *Il prépare **un gâteau**.* (Que prépare-t-il ?)   *Il parle **à sa sœur**.* (À qui parle-t-il ?)

- Il est **obligatoire après certains verbes**.

  *Il porte **une cravate**.* (*Il porte* n'a pas de sens.)
  *Il mange **une pomme**.* (*Il mange* a un sens.)

- On distingue les **compléments d'objet direct** (COD) placés **directement après le verbe**
  et les **compléments d'objet indirects** (COI) introduits par une **préposition** (*à* ou *de*).
- Certains verbes ont **deux compléments**. Le 2ᵉ, introduit par une **préposition**, est **complément d'objet second** (COS).

  J'ai offert <u>des fleurs</u> / <u>à ma mère</u>.
             COD   COS

Remarque : si le complément du verbe est un **pronom personnel**, il est le plus souvent placé **avant le verbe** et n'est plus introduit par une préposition. *Je souris **à ma mère**.* → *Je **lui** souris.*

B LES CLASSES GRAMMATICALES DU COMPLÉMENT DU VERBE

- **Nom** ou **GN** : *J'attends **Julie**. J'attends **ma sœur**.*
- **Pronom** : *Le chien **lui** obéit.*
- **Infinitif ou groupe infinitif** : *Oscar veut **manger du chocolat**.*
- **Proposition subordonnée introduite par *que*** : *Je crois **qu'il sera le premier**.*

Je m'entraîne

 Barre les compléments du verbe qui ne sont pas obligatoires.

    1. Je connais sa mère. • Il a emprunté mon scooter. • Ils jouent au ballon.

    2. Il a gagné le gros lot. • Je réfléchis à une nouvelle organisation. • Je prends mon temps.

    3. Il nous a parlé de son projet. • Il ne t'a pas obéi. • Il croit que tu n'es pas là.

2 Souligne en bleu les COD et en rouge les COI.

> ▢ **1.** Il mange une pomme. • Les dieux obéissent à Jupiter. • Ils lui obéissent.
>
> ▢ **2.** Nous jouons au ballon. • Je t'entends bien.
> • Je me souviens des derniers jours.
>
> ▨ **3.** Nous voulons dormir. • Il rêve de partir.
> • Il a bien réagi aux tests.

N'oublie pas que *à* et *de* se contractent avec les articles *le* et *les* en *au, aux, du, des*.

3 Souligne tous les compléments des verbes et encadre les verbes précisés par deux compléments.

> ▢ **1.** J'ai acheté des fleurs. • J'ai pensé à toi.
> • Je voulais partir.
>
> ▨ **2.** Il a proposé une boisson aux enfants.
> • Il nous a raconté une belle histoire.
>
> ▉ **3.** Leur as-tu dit que tu voulais venir ?
> • Je lui ai demandé de me remplacer.

4 Souligne les compléments des verbes, puis remplace-les par des pronoms personnels.

> ▢ **1.** Elle aime bien sa sœur. ....
> ▢ **2.** Elle ressemble à son père. ....
> ▨ **3.** Pensez à fermer la porte. ....
>
> • Europe caresse le taureau. ....
> • Je me souviens de cet endroit. ....
> • J'ai donné un bonbon à Pierre. ....

À la 3ᵉ personne, *le, la, les, l'* remplacent un complément sans préposition ; *lui, leur, en, y*, avec préposition.

5 Remplace les pronoms soulignés par un complément du verbe d'une autre classe grammaticale. Souligne ceux qui sont introduits par une préposition.

> ▢ **1.** Ils ne me voient pas. ....
> • Il te parle. ....
>
> ▨ **2.** Ils vous obéissent. ....
> • Ils vous ont donné du souci. ....
>
> ▉ **3.** Je le lui ai dit. ....
> • Je te le propose. ....

6 Complète les verbes avec des compléments en respectant les consignes.

> ▢ **1.** `1 INFINITIF` Cette année, il apprend ....
> ▨ **2.** `1 PRON. PERS. + 1 GN` Nous .... avons expliqué ....
> ▉ **3.** `1 PRON. PERS. + 1 PROPOSITION` Ils .... ont annoncé ....

7 **J'APPLIQUE** pour lire

Jupiter prend la forme d'un magnifique taureau blanc et se mêle aux troupeaux. Europe admire ce bel animal, elle lui offre des fleurs, [elle le caresse et s'assoit sur son dos ; Jupiter plonge ses pattes dans la mer, puis quitte le rivage et emporte la jeune fille sur l'île de Crète.]

D'après Ovide, *Les Métamorphoses* (Iᵉʳ siècle).

a) Relève les compléments des verbes de la 1ʳᵉ phrase :
....
....

b) Relève les deux compléments du verbe souligné :
....

c) Relève les quatre compléments des verbes dans le passage entre crochets : ....
....

8 **J'APPLIQUE** pour écrire

Jupiter se transforme en taureau pour séduire Europe. Et toi, en quel animal aimerais-tu te transformer ? Que ferais-tu sous cette apparence ? Raconte.

Consigne
- 5 lignes
- 1 COI
- 3 COD
- 1 COS

Coche la couleur que tu as le mieux réussie.

▢ Relève de nouveaux défis ! ⟶ exercices 1, 2, p. 86
▨ Améliore tes performances ! ⟶ exercices 3, 4, 5, p. 86
▉ Prouve que tu es un champion ! ⟶ exercices 6, 7, p. 86

Chacun son rythme

30 Les compléments de phrase

J'observe

J'ai fait une grande promenade **ce matin**, **dans la forêt**.

Peux-tu supprimer les groupes de mots en gras ? ....

Peux-tu les changer de place ? ....

Lequel apporte une précision de lieu ? .... **de temps ?** ....

Je retiens

 A COMMENT RECONNAÎTRE UN COMPLÉMENT DE PHRASE ?

- Le complément de phrase apporte des précisions sur les **circonstances** de l'action.
- On peut souvent le **supprimer** et le **changer de place**.
    *Il a attendu son père **pendant une heure**. **Pendant une heure**, il a attendu son père.*
- On l'appelle aussi **complément circonstanciel**.

 B QUELS SONT LES PRINCIPAUX COMPLÉMENTS DE PHRASE ?

- **Lieu** (CCL) : répond à la question *où ?* *Je suis rentré **chez moi**.*
- **Temps** (CCT) : répond aux questions *quand ? combien de temps ?* *Il est venu **hier**.*
- **Manière** (CCMa) : répond à la question *comment ?* *Il a réussi **facilement**.*
- **Moyen** (CCMo) : répond à la question *avec quoi ? par quel moyen ?* *Il est venu **à pied**.*

C LES CLASSES GRAMMATICALES DU COMPLÉMENT DE PHRASE

- **Nom ou GN** : *à la maison, ce soir, avec plaisir, à pied*
- **Pronom** (sauf manière) : *près de lui, après cela, avec cela*
- **Adverbe** (sauf moyen) : *loin, ici, là, hier, bientôt, bien, mal*
- **Infinitif ou groupe infinitif** (temps et manière) : *avant de partir, sans tarder*
- **Proposition** (temps) : *quand il pleut*

Je m'entraîne

1 Souligne les compléments de phrase : lieu en bleu et temps en rouge.

1. pendant trois jours • ici • souvent • avant le jour • en Asie • là-bas • parfois • au moment de partir

2. autrefois • tous les jours • derrière eux • avant cela • bientôt • au milieu du jardin • sur le chemin

3. avant de l'avoir vu • à l'avant-scène • tous les jours • à midi • dans le Midi • près du tien • jamais

2 Souligne les compléments circonstanciels de manière et de moyen et classe-les.

    1. J'ai ouvert la boîte avec un tournevis. • Puis je l'ai refermée soigneusement.

    2. Mon père pêche à la ligne. • Je suis partie très vite pour pouvoir rentrer en bus.

    3. Je l'ai vu de mes yeux. • Je vous l'affirme sans hésiter. • Cet acrobate travaillait sans filets.

> **Moyen** ....

> **Manière** ....

3 Barre les compléments de phrase que tu peux supprimer
et encadre ceux que tu ne peux pas supprimer.

    1. Il est dans la maison. • Dans sa maison, les pièces sont très grandes.

    2. Il va au marché. • J'aime beaucoup acheter des fruits au marché.

4 Indique la fonction et la classe grammaticale des compléments de phrase soulignés.

    1. Je fais du sport en salle. .... • Je suis arrivée après toi. ....

    2. Il est bien arrivé. .... • Il est arrivé par le train. ....

    3. Il est entré sans faire de bruit. ....

     • Quand nous sommes partis, il pleuvait. ....

5 Complète ces phrases par des compléments, en suivant les indications.

    1. Je me suis perdu `LIEU, GN` .... • Ils sont restés `LIEU, ADVERBE` ....

    2. Nous prendrons `MANIÈRE, ADVERBE` .... un jus d'orange `LIEU, GN` ....

    3. `TEMPS, PROPOSITION` ...., il est entré `MANIÈRE, GROUPE INFINITIF`

    ....

6 🟦 **J'APPLIQUE** pour lire

Un jour, Actéon survint par hasard près d'une petite source au moment du bain de la déesse Diane. Dès son entrée, Diane et ses nymphes crient et s'affolent. Diane éclabousse le jeune homme avec l'eau de la source et le transforme rapidement en cerf.

Le pauvre jeune homme s'enfuit, mais lorsque ses chiens l'aperçoivent, ils aboient. Après cela, toute la meute arrive, et de ses crocs pointus déchiquette le pauvre cerf.

D'après Ovide, *Les Métamorphoses* (Ier siècle).

a) Dans le 1er paragraphe, relève :

– **3 CCT :** ....

....

....

– **1 CCL :** ....

– **2 CCMa :** ....

– **1 CCMo :** ....

b) Dans le 2e paragraphe, souligne en vert une proposition CCT, en bleu un pronom CCT et en rouge un CCMo.

7 🟦 **J'APPLIQUE** pour écrire

Diane se venge cruellement d'Actéon. À ton tour, raconte une histoire de vengeance (mais moins cruelle !). N'oublie pas de situer ton récit dans l'espace et dans le temps.

> **Consigne**
> • 5 lignes
> • 4 compl. de phrase

Coche la couleur que
tu as le mieux réussie.

🔲 Relève de nouveaux défis ! ➞ **exercices 8, p. 86 et 9, 10, p. 87**

🔲 Améliore tes performances ! ➞ **exercices 11, 12, 13, 14, p. 87**

🔲 Prouve que tu es un champion ! ➞ **exercices 15, 16, p. 87**

Chacun son rythme

Chacun son rythme

Les compléments du verbe

1. Chasse aux intrus **Barre les phrases qui n'ont pas de complément du verbe.**

1. Nous avons parcouru de grands espaces.

2. Je dors bien.

3. Je lui ai apporté plusieurs photos.

4. Elle travaille trop.

5. Je ne t'avais pas vu.

6. Ne cherche pas à savoir.

2. Quiz **Coche la ou les phrases vraies.**

Le complément du verbe :

☐ est toujours placé après le verbe.

☐ est parfois introduit par une préposition.

☐ est parfois un pronom.

☐ est toujours un GN.

3. Lettres mêlées **Remets les lettres en ordre pour retrouver les compléments des verbes. Précise s'ils sont COD, COI ou COS.**

1. Le guide s'adresse aux S T E R U T I O S ....

....

2. J'ai envoyé un G E A S M E S ....
   à mon S U R E P O F S E R ....

3. Ils ont demandé leur N E H C I M ....
   à un T A N E F N ....

4. Il se souvient de cette E T A V N E U R ....

....

4. Chasse aux intrus **Précise si les mots en gras sont COD, COI ou COS. Si ce ne sont pas des compléments du verbe, barre-les !**

1. Il écoute **de la musique** [.............].

2. Il est devenu **basketteur professionnel** [.............].

3. Je n'**y** [.............] ai pas pensé.

4. Il a l'air **heureux** [.............].

5. Il a été élu **délégué de classe** [.............].

6. Il **nous** [.............] a raconté **ses aventures** [.............].

Quelle est la fonction des mots que tu as barrés ?

....

5. Jeu de pendu **Retrouve les compléments des verbes, puis précise s'ils sont COD, COI ou COS.**

1. J'ai éliminé les P __ __ X [.............].

2. Je me souviens de cet É __ __ __ __ __ __ __ T [.............].

3. Il a adressé un C __ __ __ __ __ __ R [.............]
   au P __ __ __ __ __ __ __ T [.............].

6. Charade

Mon premier est un groupe de lettres qui a du sens.
Mon deuxième a retiré ses vêtements. **Mon troisième** ne dit pas la vérité. **Mon tout** complète le verbe de la phrase suivante :

Nous avons visité un beau ....

7. Pyramide **Complète la pyramide : trouve les compléments des verbes manquant dans les phrases. Attention, il peut y avoir plusieurs réponses !**

1. Je ... vois. *(pronom personnel)*

2. Il a avalé son ... de chocolat. *(nom commun)*

3. Il ne ... entend pas. *(pronom personnel)*

4. Fais-tu du ... ? Oui, du foot. *(nom commun)*

5. Ne regarde pas ta ... sans arrêt. *(nom commun)*

6. N'oublie pas de ... un message. *(infinitif)*

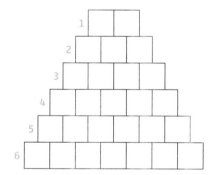

Les compléments de phrase

8. Quiz **Coche la ou les phrases vraies.**

Les compléments de phrase :

☐ ne peuvent pas être supprimés.

☐ peuvent en général être supprimés.

☐ ne sont jamais en tête de phrase.

☐ renseignent sur les circonstances de l'action.

9. Range-mots **Souligne les compléments de phrase, puis classe-les.**

1. Ne reste pas là. 2. Viens demain. 3. Il écrit avec ton crayon. 4. Il dort bien. 5. Ce matin, il pleuvait ici. 6. Il nous reçoit avec joie. 7. Il a réparé le vase avec de la colle. 8. Il est resté longtemps.

> **Temps :**
>
> **Lieu :**
>
> **Manière :**
>
> **Moyen :**

10. Vrai ou faux **Barre et corrige les affirmations fausses au sujet des mots soulignés dans ces phrases.**

1. Je suis arrivé facilement avec votre plan.

2. Il est entré dans la maison sans rien dire.

3. Hier, nous avons commencé à huit heures et avons fini à vingt-deux heures.

4. L'année prochaine, nous partirons à la montagne avec joie.

On a souligné : – 2 CCMo : .....
                – 3 CCMa : .....
                – 5 CCT : .....
                – 2 CCL : .....

11. Jeu de pendu **Retrouve les compléments de phrase et précise leur fonction (CCT, CCL, CCma, CCmo).**

1. Frottez É _ _ _ _ _ _ _ _ _ _ _ _T
(..........) avec cette É _ _ _ _ E (..........).

2. D _ _ _ _ _ N M _ _ _ N (..........), nous partirons en A _ _ _ _ _ _ _ _ E (..........).

3. Avec cette É _ _ _ _ E (..........),
tu arriveras F _ _ _ _ _ _ _ _ T (..........)
au S _ _ _ _ T (..........).

12. Labo des mots **Complète par des compléments de phrase en respectant les consignes.**

1. Ils se voient **TEMPS, ADVERBE** ....

2. Il nous a reçus **MANIÈRE, GN** ....

3. Il a voyagé **MOYEN, GN** ....

4. Il est sorti **LIEU, GN** ....

13. Chasse aux intrus **Souligne les mots en gras qui ne sont pas des compléments de phrase.**

1. **Demain**, nous retrouverons **nos amis avec joie**.

2. Fais **ta rédaction avec ton nouveau stylo**.

3. Ils ont fait **le trajet en voiture** et se sont arrêtés **une seule fois** pour prendre **de l'essence**.

4. Ne joue pas **au ballon dans la cour**.

14. Mots mêlés **Retrouve dans la grille les compléments des phrases suivantes.**

M	A	I	S	O	N
H	Z	G	B	N	O
I	A	M	I	E	I
E	V	T	E	H	V
R	J	B	N	P	A
S	E	R	U	E	H

1. ...., ils sont restés à la ....

2. Je suis restée une .... chez une ....

3. Il a fait le voyage en ....

4. Il conduit ....

15. Lettres mêlées **Remets les lettres dans l'ordre pour retrouver les compléments de ces phrases.**

1. Nous arriverons à T E N I S A D O T I N ....
dans la R I E S O E ....

2. Dans cet T I E M L A B E S N S T E ....,
il y a T E N O S U V .... des incendies.

16. Charade

Il faut un permis pour conduire **mon premier**. Les voiles du bateau sont fixées sur **mon deuxième**. **Mon troisième** est un geste incontrôlé et **mon quatrième** ne dit pas la vérité. Mon tout est complément de la phrase suivante.

Les portes se sont refermées ....

....

Quelle est la classe grammaticale et la fonction du mot que tu as trouvé ?

....

J'observe

Les **enfants** sont joyeux. • **Ils** jouent. • **Ils** construisent des châteaux de sable sur la plage.

Quelle est la fonction des groupes en gras ? ....

Relève un attribut du sujet : ....

Relève un complément de phrase (que l'on peut supprimer) : ....

Je retiens

 QUELLES FONCTIONS SE RATTACHENT AU VERBE ?

• La fonction **sujet**, présente dans **toutes les phrases** (sauf à l'impératif), précise **qui** agit ou **de quoi** traite le verbe. ▶ fiche 26

   Le temps passe vite. *Lire* est intéressant.

• La fonction **attribut du sujet**, présente après les **verbes d'état** (ou dont le sens se rapproche), apporte des précisions sur le **sujet**. ▶ fiche 27

   *Cet homme est **mon père** ; il s'appelle **Pierre**.*

• La fonction **complément du verbe** (COD, COI, COS) indique l'**objet de l'action**. ▶ fiche 29

   *J'ai acheté **un nouveau pull**. Je pense **à toi**.*

B **QUELLES FONCTIONS SE RATTACHENT À LA PHRASE ?**

• Les **compléments de phrase** précisent les **circonstances de l'action**. Ils complètent **toute la phrase**. On les appelle aussi **compléments circonstanciels**. ▶ fiche 30

• On distingue les compléments circonstanciels de **lieu**, de **temps**, de **manière** et de **moyen**.

   Hier, nous sommes allés au marché, à vélo.
   CCT   CCL   CCmo

Remarque : après certains verbes (d'état, *aller*...), les **compléments circonstanciels** complètent le **verbe**.

   *Je suis **dans la classe**. Je vais **à l'école**.*

Je m'entraîne

1 Encadre le sujet et barre les phrases qui n'en ont pas.

   1. Ma sœur est sortie. • Nous sommes arrivés. • Viens. • Elle est gentille.

   2. Sortir m'a fait du bien. • Ne bouge pas. • Pourquoi est-il parti ?

   3. Pas de problème ! • Qu'il soit venu m'a fait plaisir. • Ne reste pas là.

2 Souligne en rouge les COD et en bleu les sujets inversés.

   1. Est-il encore là ? • Où sont les ballons ? • J'ai apporté un ballon.

   2. Autrefois, vivait ici une étrange créature. • Elle n'a pas voulu venir.

   3. Ainsi s'achève l'histoire. • Quel livre as-tu choisi ?

3 Classe les compléments de phrase et les attributs du sujet.

■ **1.** Il est gentil. • Il est dans la classe. • Paul est mon voisin. • Il est chez lui.

■ **2.** Il appellera demain. • Il s'appelle Jules. • Il reste dans sa chambre. • Il reste en France.

■ **3.** Il est parti très joyeux. • Il est parti de là. • Ils sont revenus enchantés. • Ils sont revenus de vacances.

Compléments de phrase
....
....
....
....

Attributs du sujet
....
....
....

4 Souligne les compléments du verbe et encadre les attributs du sujet.

■ **1.** Jupiter aime Europe. • Jupiter est devenu un taureau. • Cette solution est bonne.

■ **2.** Sa place est restée libre, nous avons perdu du temps. • Je t'ai attendu longtemps.

■ **3.** Jules et Julie ont été élus délégués. • Où avez-vous pris cela ?

• Ainsi parlait mon père ; c'était un grand homme.

Pour repérer les attributs du sujet, vérifie s'il s'agit d'un **verbe d'état**.

5 Souligne les compléments du verbe et encadre les compléments de phrase.

■ **1.** J'ai répondu à sa lettre. • Elle est arrivée à huit heures. • Il s'adresse à toi. • Il travaille à la maison.

■ **2.** J'ai pris cinq jours de congés. • Je suis resté cinq jours à Londres. • Je manque de temps. • Sors d'ici.

■ **3.** J'ai quitté Paris. • J'habite à Paris. • J'y crois. • J'y serai. • J'en doute. • J'en sors.

Pour ne pas les confondre, pose les questions *quand ?* et *où ?*

6 **J'APPLIQUE** pour lire

Un jour, en Éthiopie, Persée, fils de Zeus, découvre un terrible spectacle. Le dieu Neptune a envoyé un monstre marin qui ravage le pays. Sa prochaine proie est Andromède, la fille du roi. Persée n'hésite pas un instant, et se précipite pour tuer le monstre avec sa longue épée.

Classe les mots ou groupes de mots soulignés dans la bonne colonne.

Sujets	Attributs du sujet	Compléments du verbe	Compléments de phrase
....	....	....	....
....	....	....	....
....	....	....	....
....	....	....	....

7 **J'APPLIQUE** pour écrire

Finalement, Andromède sera sauvée par Persée. Raconte à ton tour une aventure où un personnage (ou toi-même) est sauvé d'une situation difficile.

Consigne
• 5 lignes
• 1 attribut du sujet
• 1 compl. du verbe
• 2 compl. de phrase

Les prépositions *à* et *de*, ou en cas de contraction *au, aux, du, des*, peuvent introduire un complément du nom, du verbe ou de phrase. Comment les différencier ?

Je repère la place du complément

- Le **complément du nom** est toujours placé **après un autre nom**.

  le <u>livre</u> **de mon frère**   un <u>fauteuil</u> **à bascule**

- Le **complément du verbe** est toujours placé **après un verbe** (un mot peut s'intercaler).

  Il <u>rêve</u> **de vacances**.   Il <u>obéit</u> **à son père**.   Il <u>pense</u> souvent **aux vacances**.

- Le **complément de phrase** est souvent placé **après un verbe** mais n'a **pas de place fixe**.

  Son cours <u>commence</u> **à huit heures**.   **À huit heures** son cours <u>commence</u>.   Il <u>sort</u> **de la pièce**.

Je vérifie que j'ai bien compris

1 Repère la place des compléments en gras et indique en abrégé la fonction (CDN, CDV, CDP).

	APRÈS UN NOM	APRÈS UN VERBE	À UNE AUTRE PLACE
J'ouvre la porte **de la chambre**.	....	....	....
Je parle **à un ami**.	....	....	....
À l'aube, il faisait beau.	....	....	....
J'ai oublié ma pince **à épiler**.	....	....	....
Je me souviens **de son visage**.	....	....	....

Je réfléchis au sens et au rôle du complément

- Le **complément du nom** précise un **nom** et peut être **supprimé**.

  J'ai oublié les clés **de l'appartement**. → J'ai oublié les clés a un sens.

- Le **complément du verbe** précise un **verbe** et ne peut **pas être facilement supprimé**.

  Je joue **du piano**. → Je joue n'a plus le même sens.

- Le **complément de phrase** porte sur **toute la phrase** et renseigne sur les **circonstances**.

  Nous avons fait le trajet **à pied**. → Le complément précise le moyen de locomotion.

Je vérifie que j'ai bien compris

2 Souligne et donne la fonction du complément en indiquant s'il précise le sens d'un nom, d'un verbe ou les circonstances de l'action (lieu, temps, manière, moyen).

1. Il pratique la langue des signes.   ....

2. Il ne s'est pas souvenu des consignes.   ....

3. Il n'est pas encore revenu des États-Unis.   ....

4. Nous avons assisté à la signature des contrats.   ....

À RETENIR

Complément du **nom** : après un nom, facile à supprimer.
Complément du **verbe** : après un verbe, difficile à supprimer.
Complément de **phrase** : indique le **lieu**, le **temps**, la **manière** ou le **moyen**.

3 Complément du nom ou du verbe ? Souligne en rouge les compléments du nom et en bleu les compléments du verbe.

1. Elle est déléguée de la classe.
2. Je me méfie de lui.
3. Elle s'est confiée à Julie.
4. Je ne me souviens plus des consignes.
5. Utilise le dictionnaire des synonymes.

4 Complément du verbe ou de phrase ? Souligne en rouge les compléments de phrase et en bleu les compléments du verbe.

1. Il n'est pas encore sorti du collège.
2. De ma place je ne vois rien.
3. Il ne m'a pas informé de la date.
4. Il ne se soucie pas du mauvais temps.
5. Il ne s'est pas aperçu de ton absence.

5 Relie les compléments soulignés à leur fonction.

1. Il a sauté du plongeoir. •
2. Cet objet a été façonné à la main. •
3. Prends ta brosse à cheveux. •
4. Pense à tes papiers. •
5. N'oublie pas ton maillot de bain. •
6. Il s'intéresse à la mythologie. •
7. À ton retour, nous goûterons. •

• Complément du nom
• Complément du verbe
• Complément de phrase

6 Complète par à, de, au ou aux, et précise la fonction du complément.

FONCTIONS

1. Ce projet risque de tomber .... oubliettes. ....
2. Il n'est pas encore rentré .... voyage. ....
3. Il n'échappera pas .... la punition. ....
4. As-tu réfléchi .... conséquences ? ....
5. J'aime beaucoup les pains .... chocolat. ....
6. Nous voyons la mer .... notre balcon. ....

7 Barre et corrige les erreurs qui se sont glissées dans les fonctions.

1. J'ai avalé un sandwich. CDV ....
2. Je te présente le frère de Paul. CDV ....
3. Rentre à la maison. CDP ....
4. Il arrivera à huit heures. CDV ....

8 Complète ces phrases par le complément indiqué de ton choix.

1. Je lui ai offert un livre **CDN** ....
2. Il n'est pas encore arrivé **CDP** ....
3. Je n'ai pas pensé **CDV** ....
4. C'est le plus beau jour **CDN** ....
5. Il ne s'est pas plaint **CDV** ....
6. Je veux aller **CDP** ....

9 BILAN Précise la fonction (CDN, CDV, CDP) à côté de chaque mot souligné.

Ovide est l'auteur des *Métamorphoses* (..........). Nous ne connaissons pas tous les détails de sa vie (..........). Après d'excellentes études, il s'est très vite intéressé à la poésie (..........). Ensuite, il a beaucoup voyagé, de la Grèce (..........) à l'Asie Mineure (..........), en passant par la Crète et la Sicile. Tous ces paysages serviront de cadre (..........) aux personnages des *Métamorphoses* (..........).

Comment utiliser le dictionnaire ?

Un dictionnaire donne des informations très utiles… à condition de bien l'utiliser !

Je cherche au bon endroit

- **Ouvre le dictionnaire au bon endroit** : les mots sont classés par **ordre alphabétique** (verbes à l'infinitif, noms au singulier, adjectifs au masculin singulier).

  *Je cherche **zèbre**. → J'ouvre le dictionnaire aux dernières pages.*

- **Trouve la bonne page** : retiens les **trois premières lettres** du mot que tu cherches, puis sers-toi des **mots-repères** qui figurent **en haut de chaque page.**

  *Je cherche le mot **dictionnaire**. → Je retiens les lettres DIC.*
  → Je cherche dans la double-page correspondante, par exemple DIAGRAMME-DIEU.

⚠ Les mots-repères changent selon les dictionnaires.

Je vérifie que j'ai bien compris

1 Observe les mots soulignés.

Ils ont rencontré leur nouvelle voisine.

- Sous quelle forme ces deux mots figurent-ils dans le dictionnaire ? ....

- Dans quelle double-page le 2ᵉ mot se trouve-t-il ?

  ☐ NORIA-NOUGAT   ☐ NOUILLE-NOYER   ☐ NOYER-NUMERO

Je comprends les informations données

prononciation
(en alphabet phonétique)

chiffres pour repérer les **homonymes**

synonymes (syn.) et / ou **antonymes** (ant. ou contr.)

⚠ Parfois les **homophones** sont indiqués.

> **1. louche** [luʃ] adj. (anc. fr. *lois,* refait sur le fém. *losche,* lat. *luscus* "borgne"). – **1.** Qui manque de franchise, de clarté : *Conduite louche* (syn. **équivoque, suspect**). *Milieu louche* (syn. **interlope**). – **2.** Qui n'a pas un ton franc, en parlant des couleurs, des liquides, etc. : *Un cidre louche* (syn. **trouble**).
> **2. louche** [luʃ] n. f. (frq. **lôtja*). – **1.** Grande cuillère à long manche ; contenu de cette cuillère : *Servir le potage avec une louche. Une louche de crème fraîche.* – **2.** FAM. *À la louche,* en faisant de grosses portions ; grossièrement, sans finesse : *Budget fait à la louche.*

Larousse du collège, Le dictionnaire des 11/15 ans
© Larousse (2006).

classe grammaticale
(n. f. = nom féminin ; adj. = adjectif ; v. = verbe ; prép. = préposition…)

étymologie (étym.)

chiffres pour repérer les **différents sens** d'un mot

exemples et / ou **expressions**

Je vérifie que j'ai bien compris

2 Voici un extrait d'article de dictionnaire.

> **1. court :** adj. 1. Qui a peu de longueur : *Robe courte, jambes courtes* (**ant.** : long). 2. Qui a peu de durée : *Trouver le temps court* (**syn.** : bref, éphémère).
> **2. court :** n. m. : Terrain aménagé pour le tennis : *Sur les courts* : au tennis (**hom. :** 1. cour : espace découvert ; 2. cour : résidence du souverain ; 1. cours : écoulement continu ; 2. cours : enseignement suivi dans une matière).

- Pourquoi les deux mots sont-ils précédés d'un numéro ?

  ....

- Entoure la classe grammaticale de chaque mot.

- Lequel a deux sens ? ....

- Donne un antonyme, un synonyme et un homophone de l'adjectif *court*. ....

À RETENIR

- Bien connaître l'**alphabet.**
- Retenir les trois premières lettres du mot que l'on cherche. S'aider des **mots-repères** en haut de page.
- Comprendre les **abréviations** et les **chiffres.**

3 Barre les mots qui ne se trouvent pas dans la double-page CHAUD-CHENILLE.

chauffage • chèque • cheveu • chef • chérubin • chemin • chausson • chercher • chaton • chêne

4 Classe ces mots par ordre alphabétique.

jet • joie • jeune • jonquille • joindre • joli • jongleur • jockey

1. .... 2. .... 3. .... 4. ....

5. .... 6. .... 7. .... 8. ....

5 Écris à côté de chaque mot l'abréviation de sa ou ses classe(s) grammaticale(s). Aide-toi du dictionnaire.

1. bague : .... 6. vers : ....

2. montrer : .... 7. lever : ....

3. haie : .... 8. à : ....

4. fragile : .... 9. dîner : ....

5. leur : ....

6 Relève dans un dictionnaire la classe grammaticale et la première définition de chacun de ces couples d'homonymes.

1. a) poêle : ....

....

b) poêle : ....

....

2. a) rapide : ....

....

b) rapide : ....

....

7 Relève dans un dictionnaire quatre sens du mot *tête* avec un exemple.

Tête :

1. ....

....

....

2. ....

....

3. ....

....

4. ....

....

8 Trouve dans un dictionnaire des mots correspondant aux abréviations.

1. **rare** ANT. : ....

2. **durcir** ANT. : ....

3. **dur** SYN. : ....

4. **lac** SYN. : ....

9 Relie les expressions utilisant le mot *pied* avec leur signification.

C'est le pied !   Entrer, se rendre dans un lieu.

Casser les pieds.   Ne plus avoir le choix.

Être au pied du mur.   Ennuyer, importuner.

Mettre les pieds quelque part.   C'est très agréable.

10 BILAN

Sur la branche d'un arbre était en <u>sentinelle</u>
Un vieux Coq adroit et <u>matois</u>.
« Frère, dit un Renard, adoucissant sa voix,
Nous ne sommes plus en **querelle** :
Paix générale cette fois. »

Jean de La Fontaine, « Le Coq et le Renard » (1668).

a) Coche la double-page où figure le mot *branche* :

☐ BOUTON-BRANDADE   ☐ BRANDEBOURG-BREF

b) Recopie la première définition de ces deux homonymes :

1. **coq** : ....

....

2. **coq** : ....

....

c) Recopie l'abréviation de la classe grammaticale et la définition des mots soulignés.

sentinelle : ....

....

matois : ....

....

d) Fournis les renseignements demandés pour les mots en gras.

querelle SYN. : ....

paix ANT. (ou CONTR.) : ....

32 L'origine et la formation des mots

J'observe

« Le Loup et le Chien » et « Le Chêne et le Roseau » sont des fables de La Fontaine.

Observe les mots soulignés et relie-les à leur origine. Aide-toi du dictionnaire si besoin.

loup •   • gaulois *cassanus*

chêne •   • latin *fabula*

roseau •   • latin *lupus*

fable •   • germanique *raus*

Je retiens

 A **D'OÙ VIENNENT LES MOTS FRANÇAIS ?**

• Les mots français viennent majoritairement des **langues de l'Antiquité** (latin, grec, germanique et gaulois) : *livre* (latin) *bibliothèque* (grec) *ruche* (gaulois)

• L'étude de l'**origine des mots** et de **leur évolution** s'appelle l'**étymologie**.
Elle permet souvent de comprendre l'**orthographe** : *loup,* du latin *lupus,* se termine par un *p.*

• Les autres mots ont été **empruntés à des langues étrangères** au fil des siècles.

spaghetti (italien) *moustique* (espagnol) *week-end* (anglais) *café* (arabe)

 B **COMMENT LES MOTS SE SONT-ILS FORMÉS ?**

• La plupart des mots ont été **fabriqués à partir d'un mot simple** ou de son **radical**.
Ils forment des **familles de mots**.

→ *transport, rapporter* sont formés à partir du mot simple *port.*

→ *illisible, lisiblement* sont formés à partir du radical *lis-* (= *lire*).

→ *transport, transporter, importer, exportation* sont des mots de la famille de *port.*

• Certains mots sont formés de **deux mots** ou **deux radicaux** collés ou séparés par un trait d'union ou une préposition. Ce sont des **mots composés**.

biographie, portefeuille, chaise longue, abat-jour, pomme de terre

Je m'entraîne

Pour faire les exercices, n'hésite pas à consulter un **dictionnaire** !

1 Trouve un mot français venant des mots latins ou grecs suivants.

☐ **1.** rosa : .... • aqua : .... • infans : ....

☐ **2.** tabula : .... • mater : .... • mikros : ....

☐ **3.** puer : .... • ludus : .... • chronos : ....

2 Remplace les mots ou groupes de mots par un mot étranger fréquemment employé.

☐ **1.** fin de semaine : .... • petite saucisse rouge et épicée : ....

☐ **2.** tarte salée garnie de tomates et de fromage : .... • pantalon court : ....

☐ **3.** jeune fille qui garde les enfants : .... • enlever (un enfant) : ....

3 Relie le mot français et son origine.

- 1. *mosquito* (espagnol) •
- 2. *mostaccio* (italien) •
- 3. *az-zahr* (arabe) •
- 4. *schîbe* (allemand) •
- 5. *blato* (gaulois) •
- 6. *al djabr* (arabe) •

- • algèbre
- • blé
- • cible
- • moustache
- • hasard
- • moustique

4 Trouve un mot français dont l'orthographe s'explique par les lettres en gras du mot latin ou grec.

1. tem**pus** : _____ • lu**p**us : _____
  • ni**d**us : _____ • pa**x** : _____
2. **rh**inos : _____
  • gra**ph**o : _____ • cor**p**us : _____
3. di**git**us (partie du corps) : _____
  • vi**gint**i (chiffre) : _____ • **v**ox : _____

5 Trouve deux familles de mots dans chaque liste et souligne l'une en rouge et l'autre en bleu.

1
- • porter • enterrer
- • portable • importer
- • exporter • atterrir
- • terrain • terrasse

2
- • faire • aération
- • défaire • aérer
- • aérosol • faisable
- • air • aérien

3
- • livre • libérer
- • liberté • libération
- • librairie • librement
- • libraire • libre

6 Utilise les mots pour former des noms composés correspondant aux définitions.

moulin • salle • dents • coffre • jour • fort • manger • poivre • brosse • abat

1. endroit où on prend les repas : _____
2. ustensile nécessaire à l'hygiène de la bouche : _____
3. endroit où l'on range les objets précieux : _____
4. ustensile permettant de moudre : _____
5. évite d'être ébloui quand on regarde une lampe : _____

7 Classe les mots composés suivants sur la bonne ligne.

monologue • tire-bouchon • chemin de fer • bande dessinée • bibliothèque • archéologie • clair de lune • moulin à poivre • maître d'hôtel • polythéiste

1. un seul mot : _____
2. deux mots avec ou sans trait d'union : _____
3. deux mots avec préposition : _____

8 **JE CONSOLIDE** mon orthographe

À ton tour, fabrique des mots composés fantaisistes, puis explique à quoi ils servent. Voici quelques idées, mais tu peux en inventer d'autres :

un chemin de lune, une brosse à poivre...

Consigne
- au moins 3 mots
- 5 lignes

Coche la couleur que tu as le mieux réussie.
- ☐ Relève de nouveaux défis ! → exercices 1, 2, p. 100
- ☐ Améliore tes performances ! → exercice 3, p. 100
- ☐ Prouve que tu es un champion ! → exercices 4, 5, p. 100

Chacun son rythme

33 La formation des mots dérivés

J'observe

inégal, égalité, égal, égaliser, également, inégalité

Quel mot de la liste constitue le radical commun à tous les autres ? ....

Dans quels mots le radical est-il précédé des deux mêmes lettres ? ....

Dans quels mots est-il suivi des quatre mêmes lettres ? ....

Je retiens

 A COMMENT FORME-T-ON UN MOT DÉRIVÉ ?

• On prend un **mot simple** ou un **radical** et on lui ajoute un **préfixe** et / ou un **suffixe**.

in/utile   *leg/al*

préfixe + mot simple   radical signifiant *loi* + **suffixe**

• Le **mot simple** est un **mot français** qui n'a ni préfixe ni suffixe.

• Le **radical**, issu du **latin** ou du **grec**, a un **sens**. ▶ fiche 34

 B QUEL EST LE RÔLE DU PRÉFIXE ?

• Le préfixe se place **avant le radical** et **modifie son sens** : *impossible* (= pas possible)

⚠ L'orthographe du préfixe **peut changer** en fonction de la **première lettre du radical**.

     préfixe *in-* ➜ *inconnu, impossible, illégal, irrégulier*

• Quelques préfixes ▶ p. 125 : *con-, com-* (avec)   *pré-* (avant)   *ac-, ad-* (vers)

                       re- (à nouveau)   *ex-* (hors de)   *trans-* (au-delà, à travers)

 C QUEL EST LE RÔLE DU SUFFIXE ?

• Le suffixe se place **après le radical** et indique la **classe grammaticale** du mot : *rêver* (verbe), *rêverie* (nom)

• Il peut aussi modifier le **sens du radical** : *maisonnette* (suffixe diminutif = petite maison)

• Quelques suffixes ▶ p. 125 : *-age, -ade, -eur* (pour les noms)

                       -able, -aire, -al, -eux, -if (pour les adjectifs)

                       -ette, -on, -eau (diminutifs)   *-âtre, -ard* (péjoratifs)

Je m'entraîne

1 Encadre les préfixes et / ou les suffixes.

    1. impossible • maisonnette • mécontent • coupure • gentiment • épouvantable

    2. irréalisable • fleuriste • atterrir • inutilité • emportement • imperméable

    3. transportable • exportation • immobilité • décomposition • démentir • malhonnêteté

2 Forme deux mots dérivés à partir de chaque mot simple.

   1. gros : ....   • terre : ....

   2. mer : ....   • pointe : ....

   3. vieux : ....   • clair : ....

3 Utilise un des préfixes pour former un mot de sens contraire.

in- (im-, il-, ir-) • dé- (dés-) • a- • mé- • mal-

   1. ....correct • ....content • ....régulier

   2. ....réel • ....faire • ....adroit

   3. ....chance • ....normal • ....organiser

4 Indique le sens du préfixe in- (im-, il-, ir-) dans les mots donnés : négatif ou *dans*.

   1. instable : ....   • importer : ....

   2. inanimé : ....   • implanter : ....

   3. immerger : ....   • impatient : ....

5 Utilise des suffixes pour transformer ces adjectifs en noms puis en verbes.

   1. UTILE   **nom :** ....   **verbe :** ....

   2. GRAND   **nom :** ....   **verbe :** ....

   3. INQUIET   **nom :** ....   **verbe :** ....

6 Forme un mot de la même famille en modifiant ou en supprimant le préfixe et / ou le suffixe.

   1. apporter : ....   • introuvable : ....

   2. incompréhensible : ....   • inutile : ....

   3. réunifier : ....   • acclamation : ....

7 Utilise des suffixes pour trouver les mots correspondant à ces définitions.

   1. petite fille : ....   • petit lion : ....   • petit ours : ....

   2. petit oiseau : ....   • d'un vilain vert : ....   • petit loup : ....

   3. petit chien : ....   • papier sans intérêt : ....   • faire de petits sauts : ....

8 **J'APPLIQUE** pour écrire

Remplace les mots surlignés par un dérivé en *-ible* ou *-able*.
Indice : les rimes sont croisées !

La cigale se plaint à la fourmi.
« Chère voisine,
Je n'ai pas du tout été RAISON,
Mais je suis sûre que vous serez SENS
À mon malheur, et qu'en cet hiver ÉPOUVANTE
Vous m'aiderez à apaiser ma faim HORREUR. »

D'après Jean de la Fontaine, « La Cigale et la Fourmi » (1668).

Coche la couleur que tu as le mieux réussie.

Relève de nouveaux défis ! ⟶ exercices 6, 7, p. 100
Améliore tes performances ! ⟶ exercice 8, p. 100
Prouve que tu es un champion ! ⟶ exercices 9, 10, p. 101

Chacun son rythme

34 La formation des mots à partir d'éléments latins ou grecs

J'observe

Le mot *monologue* est formé à partir de deux radicaux grecs : *monos (= seul)* et *logos (= parole)*.

D'après sa formation, quel est le sens du mot *monologue* ? ....
....

Je retiens

A COMMENT FORME-T-ON DES MOTS DÉRIVÉS ?

• À partir d'un **radical latin** ou **grec**, on ajoute un **préfixe** et / ou un **suffixe**. ▶ fiche 33

radical *vis-* (= voir) ➡ vis**ible**, vis**ibilité**, vis**ion** (suffixes), **in**vis**ible** (préfixe et suffixe)

• La **forme du radical** peut être légèrement **modifiée** au cours de la dérivation.

fiable, **fid**èle, con**fi**er ➡ le radical est *fi / fid* et signifie *confiance*

B COMMENT FORME-T-ON DES MOTS COMPOSÉS ?

• On associe **deux radicaux grecs** ou **latins**.

orthographe = ortho (= droit, correct) + graph- (= écrire)

• On peut aussi associer un **radical grec** ou **latin** à un **mot français**.

autoportrait = auto (= soi-même) + portrait

Remarque : on peut utiliser des **radicaux grecs et latins de même sens** pour former des mots dérivés ou composés.

radical *equ-* ou *hipp-* (= cheval) ➡ **équ**estre, **hipp**ique, **hipp**odrome

Je m'entraîne

Pour faire les exercices, n'hésite pas à consulter un dictionnaire !

1 Encadre le radical des mots et indique son sens.

 1. manuel • manœuvre • maniable • manette :
....

2. lisible • lisibilité • illisible • liseuse :
....

 3. éloquent • locution • loquace • élocution :
....

2 Forme trois mots dérivés à partir des radicaux latins suivants.

1. *spect-* (= regarder) : ....
....

2. *cred-* (= croire) : ....
....

3. *nov(o)-* (= nouveau) : ....
....

3 Forme deux mots dérivés à partir des radicaux grecs suivants.

1. *aer(o)-* (= air) : ....
....

2. *graph-* (= écrire) : ....
....

3. *ethn(o)-* (= peuple) : ....

• *-scope* (= voir) : ....
....

4 Forme deux mots dérivés ou composés pour chacun des radicaux synonymes.

1. *voc- / phon-* (= voix) : ....
....

2. *popul- / dém-* (= peuple) : ....
....

3. *aqua- / hydr-* (= eau) : ....
....
....

5 Trouve les noms composés correspondant aux définitions à partir des radicaux proposés.

• *hippo-* : cheval
• *thalass-* : mer
• *kinési-* : mouvement
• *thérap-* : soigner
• *bio-* : vie
• *kéros* : corne
• *drom-* : course
• *log-* : étude
• *omni-* : tout
• *-vore* : qui mange
• *rhino-* : nez

1. endroit où les chevaux courent : ....

2. animal avec une corne sur le nez : ....

3. soigner par l'eau de mer : ....

4. étude de la vie : ....

5. soigner par le mouvement : ....

6. qui mange de tout : ....

6 Trouve les deux radicaux de ces mots composés et donne leur sens.

Tu peux t'aider du sens du mot ou le chercher dans le dictionnaire.

1. somnambule : ....

2. polychrome : ....

3. philanthrope : ....

7 Forme deux mots composés en ajoutant un autre radical et un mot français.

1. *auto-* (= soi-même) : ....

2. *télé-* (= au loin) : ....

3. *mono-* (= un seul) : ....

8 **J'APPLIQUE** pour écrire

À l'aide des radicaux suivants et de ceux de l'exercice 5, invente trois mots qui n'existent pas et qui pourraient correspondre aux définitions.

-mètre : qui mesure • *oto-* : oreille • *chrono-* : temps • *aqua* : eau • *-phobie* : peur

Qui mesure les nez : ....   Peur des oreilles : ....

Qui dévore les chevaux : ....

À présent, choisis-en un et invente une petite histoire.

Coche la couleur que tu as le mieux réussie.

☐ Relève de nouveaux défis ! ⟶ exercices 11, 12, p. 101
▨ Améliore tes performances ! ⟶ exercice 13, p. 101
▨ Prouve que tu es un champion ! ⟶ exercices 14, 15, p. 101

Chacun son rythme

Chacun son rythme

L'origine et la formation des mots

1. Labo des mots Complète les phrases avec le mot français issu du mot latin entre parenthèses.

1. J'écris avec un (*stilus*) ....

2. Je prends des cours d'(*equus*) ....

3. Je suis dans la même classe que ma (*soror*) ....

4. Paul est le (*filius*) .... de ma voisine.

2. Quiz Coche les phrases vraies.

☐ Beaucoup de mots français viennent du latin ou du grec ancien.

☐ Les mots composés sont toujours en deux mots.

☐ L'étymologie est l'étude de l'origine des mots.

☐ Les mots d'une même famille ont le même radical.

3. Méli-mélo Voici des noms composés fantaisistes. Reconstitue les vrais noms composés dont les éléments ont été mélangés.

- chauve-fleur
- sac à manger
- brosse à souris
- chou à cheveux
- après-dos
- salle à midi

....

....

....

4. Range-mots On a mélangé quatre familles de mots : trouve le mot simple ou le radical de chacune et classe les mots d'une même famille.

terrible • sec • salir • terrain • sèchement • terr- (peur) • terrasse • salissure • terreur • dessécher • terrifier • sale • atterrir • terroriser • séchoir • terrassier • salement • terriblement • terre

Mot simple ou radical	Mots de la même famille
....	....
....	....
....	....
....	....
....	....
....	....
....	....
....	....

5. Charade

Mon premier est une lettre portant un accent. **Mon deuxième** est le contraire de *sombre*. **Mon troisième** est un liquide transparent. **Mon quatrième** est le contraire de *froid*. **Mon cinquième** est une boisson gazeuse. **Mon tout** est un nom composé désignant une pâtisserie.

Réponse : ....

La formation des mots dérivés

6. Range-mots Classe ces mots.

emporter • transformation • facilement • extrait • inlassablement • prénom • rapidité • illumination • grandeur • véritable • transport • inexact

Mots avec préfixe ....
....

Mots avec suffixe ....
....

Mots avec préfixe et suffixe ....
....
....

7. Quiz Coche les phrases vraies.

☐ Les préfixes se placent avant le radical et les suffixes après.

☐ Les suffixes modifient toujours le sens du radical.

☐ Les mots d'une même famille ont toujours le même sens.

☐ Les suffixes indiquent souvent la classe grammaticale.

8. Labo des mots Complète avec des mots dérivés du mot simple proposé.

Noms	Verbes	Adjectifs
....	....	faible
glace	....	....
famille	....	....
mur	....	....
....	....	clair
....	....	pâle
livre	....	....

■ **9.** Devinette **Barre tous les mots ayant un préfixe et / ou un suffixe pour trouver l'énoncé d'une devinette que tu devras résoudre.**

qu'expatrierestenterrer-cedisponiblequ'transportune recommencerchauve-sourisincessantavecdéraciner unepluviositéperruque ?

Devinette : ....
....

Réponse : ....

■ **10.** Méli-mélo **À partir des mots ou des éléments suivants, forme quatre mots dérivés et quatre mots composés.**

- rouge
- dé-
- attrape
- trans-
- faire
- sens
- moulin
- gorge
- vent
- in-
- chaise
- à
- blanch-
- port
- longue
- nigaud
- -eur
- -é

MOTS DÉRIVÉS ....
....

MOTS COMPOSÉS ....
....
....
....
....

La formation des mots à partir d'éléments latins ou grecs

■ **11.** Quiz **Coche les bonnes propositions.**

Les radicaux latins et grecs :

☐ permettent de former uniquement des mots composés.

☐ permettent de former des mots dérivés ou composés.

☐ ont parfois le même sens.

☐ n'ont jamais le même sens.

■ **12.** Méli-mélo **Tous les radicaux ont été mélangés : regroupe-les par deux pour compléter les phrases.**

ortho • mètre • scope • graphe • micro • drome • chrono • hippo

1. Je n'ai fait qu'une faute d' ....
2. Les chevaux courent sur un ....
3. J'ai observé des cellules au ....
4. Prends ton .... pour évaluer mes performances.

■ **13.** Jeu de pendu **Retrouve les mots formés à partir des radicaux latins ou grecs suivants.**

-cide (= tuer) • *équi-* (= égal) • *ortho-* (= droit, correct)

1. J'ai acheté un I __ __ __ __ __ __ __ __ __ Є, car nous avons beaucoup de moustiques.
2. Un triangle É__ __ __ __ __ __ __ __ L a trois côtés égaux.
3. J'ai rendez-vous chez l'O __ __ __ __ __ __ __ __ __ __ Є pour faire vérifier mon appareil dentaire.

■ **14.** Charades **Résous ces charades pour trouver des radicaux. Utilise-les pour former des mots qui compléteront les phrases.**

1. **Mon premier** désaltère, **mon second** est le contraire de *tard* et **mon tout** signifie *soi-même*.

Réponse : ....

Phrase : Dans une .... , un écrivain raconte sa propre vie.

2. **Mon premier** est le contraire de *maigre*, **mon second** est le contraire de *vrai* et **mon tout** signifie *écriture*.

Réponse : ....

Phrase : Un .... étudie les écritures.

3. **Mon premier** est le contraire de *bas*, **mon second** est un groupe de lettres ayant un sens et **mon tout** signifie *semblable*.

Réponse : ....

Phrase : Les .... se prononcent de la même façon.

■ **15.** Mots mêlés **Retrouve 7 radicaux grecs dans la grille et associe-les à *-logue* (= parole) ou *-logie* (= étude) pour trouver les mots définis.**

1. étude de la succession des événements : ....
2. étude du cœur : ....
3. discours d'une seule personne : ....
4. étude de la vie : ....
5. étude de l'écriture : ....
6. étude de la terre, des sols : ....
7. étude de l'esprit : ....

C	H	R	O	N	O
P	S	Y	C	H	O
C	A	R	D	I	O
Є	V	O	I	B	O
M	O	N	O	H	Є
O	H	P	A	R	G

101

35 Les synonymes

Ce gâteau est délicieux. Dans cette pâtisserie tout est succulent.

Relève les deux adjectifs qui ont le même sens : ....

Pourquoi n'a-t-on pas utilisé deux fois le même mot ? ....

Je retiens

A QU'EST-CE QU'UN SYNONYME ?

- Les synonymes sont des mots qui ont le **même sens** ou un **sens très proche**.
  Ils appartiennent à la **même classe grammaticale**.

    se souvenir et *se rappeler* sont deux verbes synonymes.

B QUAND EMPLOYER UN SYNONYME ?

- Pour **donner le sens** d'un mot (dictionnaire).
- Pour éviter une **répétition**.

    Que vous êtes joli, que vous me semblez beau !

- Pour utiliser un mot de **sens plus fort** ou **plus faible**.

    bon / succulent ; petit / minuscule

- Pour changer le **niveau de langue** : familier, courant, soutenu.

    laid / moche

Je m'entraîne

Pour faire les exercices, tu peux utiliser un **dictionnaire**.

1 Choisis dans la liste le synonyme de chaque mot.

bref • poltron • las • vaste • aigu • aisé • serein • isolement • exquis

 1. délicieux : ....
2. facile : ....
3. fatigué : ....

• grand : ....
• calme : ....
• pointu : ....

• court : ....
• solitude : ....
• peureux : ....

Dans une rédaction, **évite** les verbes *avoir*, *être*, *faire* et utilise des verbes **précis**.

2 Trouve un synonyme de chaque verbe souligné.

 1. Je fais du piano. ➜ ....
2. Il est à une autre adresse. ➜ ....
3. Il a une douleur au pied. ➜ ....

• Je fais la vaisselle. ➜ ....
• Il a des lunettes. ➜ ....
• Il a une belle voiture. ➜ ....

3 Trouve un synonyme du mot *clair* adapté au contexte.

1. Cette pièce est très **claire**. ➔ ....

2. Il a un pull bleu **clair**. ➔ ....

3. L'eau de ce ruisseau est **claire**. ➔ ....

4. Il a triché, c'est **clair** ! ➔ ....

5. Ton exposé était très **clair**. ➔ ....

6. Le temps est **clair** ce matin. ➔ ....

Lorsqu'un mot a **plusieurs sens**, il a aussi **plusieurs synonymes**.

4 Trouve un synonyme de sens plus fort.

1. grand : ....

2. beau : ....

3. étonnant : ....

• gentil : ....

• froid : ....

• cri : ....

5 Les mots soulignés sont familiers, trouve-leur un synonyme d'un niveau de langue courant.

1. Je me suis fait piquer mon sac. ➔ ....

2. Il s'est encore paumé. ➔ ....

3. Arrête de râler. ➔ ....

• Ça caille. ➔ ....

• Je suis crevé. ➔ ....

• Quel radin ! ➔ ....

6 Relie l'expression figurée à son synonyme.

EXPRESSION	SYNONYME
1. partir à l'aventure •	• comprendre le sens caché
2. prendre ses jambes à son cou •	• avoir des relations
3. jeter l'éponge •	• ne rien prévoir
4. couper les cheveux en quatre •	• s'enfuir très vite
5. lire entre les lignes •	• renoncer
6. avoir le bras long •	• s'arrêter à de petits détails

7 **J'APPLIQUE** pour lire

« Sans mentir, si votre ramage
Se rapporte à votre plumage,
Vous êtes le Phénix des hôtes de ces bois. »
À ces mots le corbeau ne se sent pas de joie
Et pour montrer sa belle voix
Il ouvre un large bec, laisse tomber sa proie.

Jean de La Fontaine, « Le Corbeau et le Renard » (1668).

Quels mots ou expressions de la fable sont synonymes des mots suivants ?

• habitants : ....

• paroles : ....

• ressemble : ....

• chant : ....

• lâche : ....

• forêts : ....

8 **J'APPLIQUE** pour écrire

Imagine un court récit où quelqu'un de naïf se fait piéger. Souligne quatre mots de ton récit : donne un synonyme pour chacun d'entre eux.

Consigne
• 1 syn. de sens plus fort
• 1 syn. de niveau de langue différent

Coche la couleur que tu as le mieux réussie.

☐ Relève de nouveaux défis ! ➔ exercices 1, 2, p. 106
■ Améliore tes performances ! ➔ exercices 3, 4, 5, p. 106
■ Prouve que tu es un champion ! ➔ exercices 6, 7, 8, p. 106

Chacun son rythme

36 Les différents sens d'un mot

J'observe

1. Mes parents m'ont acheté un nouveau **bureau**.
2. Mes parents ne sont pas là en ce moment, ils sont au **bureau**.

Le mot en gras a-t-il le même sens dans les deux phrases ? ....

Relie chaque phrase à la bonne définition :

phrase 1 •   • meuble de travail

phrase 2 •   • lieu de travail

Je retiens

A. QUELLES SONT LES DEUX CATÉGORIES DE MOTS ?

• Certains mots ont **un seul sens** : *un microscope*

• Beaucoup de mots ont **plusieurs sens** : c'est la **polysémie**.

   *Mon frère est **grand** pour son âge.* (taille) *C'est un **grand** jour pour nous !* (importance)

Remarque : dans un dictionnaire, les différents sens sont numérotés. ▶ fiche méthode 3

B. QUELS SONT LES DIFFÉRENTS SENS D'UN MOT ?

• Un mot a un **sens premier** ou **sens propre**, qui correspond à son sens **étymologique**.

• Les autres sens peuvent venir d'un **élargissement du sens**.

   Le sens premier de bureau *est* meuble de travail, *puis le sens s'est élargi au* lieu de travail.

• Ils peuvent aussi venir d'une **image**, c'est le **sens figuré**.

   *Un **tapis de feuilles** recouvre le sol.* ➙ Il y a tant de feuilles que cela ressemble à un tapis.

Remarque : le sens figuré se retrouve aussi dans des expressions : *avoir un **chat** dans la gorge.*

Je m'entraîne

Pour faire les exercices, n'hésite pas à consulter un dictionnaire !

1 Invente une phrase où le mot souligné aura un autre sens.

 1. Il avait une couronne sur la tête. ....

2. Elle a le nez retroussé. ....

 3. J'ai dévoré le gâteau. ....

2 Souligne le mot en gras utilisé au sens propre.

1. PETIT Je t'ai préparé un bon **petit** plat. • Mets-toi devant : tu es **petit**.

2. RICHE Il a gagné au loto, il est très **riche**. • Tu as eu une **riche** idée en m'offrant ce livre.

3. BRILLANT Mon frère est un élève **brillant**. • Avec ce nouveau shampoing mes cheveux sont **brillants**.

3 Trouve le mot qui correspond aux définitions données.

　　1. Extrémité de la jambe qui sert à se tenir debout et à marcher. Partie d'un objet qui sert d'appui : ....

　　2. Présenter les plats et les boissons aux invités. Être utile à quelqu'un : ....

　　3. Extrêmement petit ou mince. D'une intelligence subtile, d'un goût délicat : ....

4 Invente une phrase où le nom de l'animal sera pris au sens figuré.

　　1. CHAT ....

　　2. CHIEN ....

　　3. LOUP ....

5 Exprime la même idée à l'aide du mot proposé pris au sens figuré.

　　1. Tu as de la chance.　　　POT ➜ ....

　　2. Il s'est enfui.　　　CLÉ ➜ ....

　　3. Elle a mauvais caractère.　　TÊTE ➜ ....

6 Invente deux phrases où le mot donné aura un sens différent.

　　1. LUNE sens propre : ....
　　　　　sens figuré : ....

　　2. BOL sens propre : ....
　　　　　sens figuré : ....

　　3. BRAS sens propre : ....
　　　　　sens figuré : ....

7 Relie les phrases ayant le même sens.

　　1. Ils se sont battus.　　　　　•　　　　• Il a la **main** verte.

　　2. Il m'a aidé.　　　　　　　•　　　　• Il n'y est pas allé de **main** morte.

　　3. Il s'est occupé de cette affaire.　•　　　• Il m'a donné un coup de **main**.

　　4. Il a affaire à une personne sérieuse. •　　　• Ils en sont venus aux **mains**.

　　5. Il s'occupe très bien des plantes.　•　　　• Il est entre de bonnes **mains**.

　　6. Il a frappé violemment.　　　•　　　• Il a pris l'affaire en **main**.

8 **J'APPLIQUE** pour écrire

Rédige quatre phrases comportant le mot *tête* avec un sens différent à chaque fois.

....
....
....
....

Coche la couleur que tu as le mieux réussie.

☐ Relève de nouveaux défis ! ⟶ exercices 9, p. 106 et 10, p. 107
■ Améliore tes performances ! ⟶ exercices 11, 12, 13, p. 107
■ Prouve que tu es un champion ! ➜ exercices 14, 15, 16, p. 107

Chacun son rythme

Les synonymes

1. Range-mots Remplace le mot souligné par un synonyme de la liste.

cercle • romps • centre • ramasser • immédiatement • terminé

1. Retire-toi instantanément. ....
2. Dessine-moi un rond. ....
3. Nous sommes au milieu du lac. ....
4. Ne casse pas cette branche. ....
5. J'ai fini mon repas. ....
6. Je vais enlever les miettes. ....

2. Quiz Coche la ou les phrases vraies.

☐ Deux synonymes ont le même sens ou un sens très proche.

☐ Deux synonymes peuvent appartenir à des classes grammaticales différentes.

☐ Deux synonymes appartiennent toujours au même niveau de langue.

☐ Un synonyme permet parfois d'éviter une répétition.

3. Méli-mélo Retrouve les couples de synonymes contenus dans cette liste.

répliquer • clair • fainéant • indiquer • s'amuser • juste • battre • répondre • exact • paresseux • lumineux • frapper • jouer • signaler

....
....
....
....
....

4. Jeu de pendu Retrouve le synonyme de ces mots (1 lettre par tiret).

1. permettre : A _ _ _ _ _ _ _R
2. adresse : H _ _ _ _ _ É
3. réunir : R _ _ _ _ _ _ _R
4. démolir : D _ _ _ _ E
5. admirable : R _ _ _ _ _ _ _ _E
6. éblouir : A _ _ _ _ _ _R

5. Charade

Mon premier est une note de musique. **Mon second** est un verbe qui donne des œufs. **Mon tout** est synonyme de *répliquer*.

....

6. Lettres mêlées Remets les lettres dans l'ordre pour retrouver différents types d'habitation.

1. AILVL : .... 2. INAOSM : ....
3. IÈCMAHURE : .... 4. TALHCE : ....
5. EHTUT : .... 6. NLAIPOLV : ....
7. SILAPA : .... 8. ANEABC : ....
9. ERFME : ....

7. Chasse aux intrus Barre l'intrus dans chaque liste, puis justifie ton choix.

1. écarter • éloigner • séparer • désunir • rassembler :
....
....

2. beau • élevé • se rappeler • partir • inventer • joli • s'en aller • haut • se souvenir :
....

8. Pyramide Complète cette pyramide à l'aide des synonymes de ces mots.

1. voie
2. rigoler
3. rempli
4. donner
5. ralentir
6. devancer
7. rejoindre
8. vite

Les différents sens d'un mot

9. Vrai ou faux ? Coche la ou les bonnes réponses.

☐ Aucun mot n'a qu'un seul sens.

☐ Beaucoup de mots ont plusieurs sens.

☐ Dans le dictionnaire, on ne trouve que le premier sens.

☐ Le sens figuré repose en général sur une image.

10. Remue-méninges **Souligne les mots en gras utilisés au sens propre.**

1. Avoir des **mains** fines.
   - Avoir une **main** de fer dans un gant de velours.
2. La **pluie** tombe depuis deux jours.
   - Il fait la **pluie** et le beau temps dans la maison.
3. J'ai la **clé** du mystère.
   - Nous avons ouvert avec la **clé**.

11. Méli-mélo **Retrouve les expressions au sens figuré dont on a mélangé les éléments.**

| avoir un chat dans | les pieds | de vipère | voler dans |
| une langue | casser | la gorge | être | les plumes |

1. ....
2. ....
3. ....
4. ....

12. Mot mystère **Un même mot a été effacé dans ces phrases, à toi de le retrouver.**

1. Prends une ~~........~~ à la boulangerie.
2. Ses cheveux sont raides comme des ~~........~~ .
3. J'aimerais avoir une ~~........~~ magique.
4. Je n'aime pas qu'on me mène à la ~~........~~ .

Mot mystère : ....

13. Jeu des couleurs **Complète les phrases par un adjectif de couleur (que tu accorderas), puis donne le sens de la phrase.**

1. Ma mère a la main ....
   → ....
   ....
2. La place était .... de monde.
   → ....
3. Mon amie voit toujours la vie en ....
   → ....
4. Aujourd'hui, Paul faisait .... mine.
   → ....
5. Ils ont passé une nuit ....
   → ....
   ....

14. Remue-méninges **Complète ces expressions au sens figuré en t'aidant des définitions et des mots donnés.**

ventre • chats • linotte • sac • peau

1. Être pris sur le fait → être pris la .... dans le ....
2. Courir très vite → courir .... à ....
3. Avoir d'autres sujets de préoccupation → avoir d'autres .... à ....
4. Être très étourdi → avoir une .... de ....
5. Changer complètement → faire ....

15. Histoire de chats **Écris une phrase de même sens.**

1. Il n'y a pas un chat. ....
2. J'ai d'autres chats à fouetter. ....
   ....
3. Je donne ma langue au chat. ....
   ....
4. Appeler un chat un chat. ....
   ....
5. Chat échaudé craint l'eau froide. ....
   ....
6. Quand le chat n'est pas là, les souris dansent. ....
   ....

16. Pyramide **Complète la pyramide en trouvant les mots manquants dans les expressions figurées.**

1. Ne passe pas du .... à l'âne.
2. Tu es vraiment .... en l'air !
3. Tu sors de chez le coiffeur, tu as la .... à zéro.
4. Il s'est beaucoup entraîné, il est au .... de sa forme.
5. Tu es en retard et tu as oublié ton livre, c'est le .... !
6. Aïe ! J'ai fait une .... !

107

37 Je sais ponctuer un texte

▬▬▬ Je sais délimiter les phrases à l'aide de la ponctuation forte

- Une **phrase** a un **sens**. Elle commence par une majuscule et se termine par un signe de ponctuation forte : le **point**, le **point d'interrogation** (question), le **point d'exclamation** (expression d'un sentiment) ou les **points de suspension** (hésitation, phrase inachevée).

1 Utilise la ponctuation forte qui convient à la fin de ces phrases.

1. Je joue au foot tous les mercredis ......   • Et toi quel sport pratiques-tu ......

2. À quelle heure est l'entraînement ......   • Nous nous entraînons à 18 heures ......

3. Comme tu joues bien ......   • Moi aussi je jouais bien, mais malheureusement ......

2 Recopie ces phrases en rétablissant la bonne ponctuation forte et les majuscules.

1. J'ai acheté de nouvelles. Chaussures j'achèterai le reste de l'équipement. Le mois prochain

....

....

2. Où êtes-vous. Allés ce week-end nous étions. à la campagne ?

....

3. Comme les paysages… Étaient beaux jamais auparavant. Nous n'avions visité cette région. Avec ses lacs, ses montagnes, ses cascades.

....

....

▬▬▬ Je sais marquer des pauses à l'aide de la ponctuation faible

- La **virgule sépare** des mots ou des groupes de mots (énumérations, compléments…).
- Le **point-virgule isole** des propositions qui ont un sens.
- Le **deux-points annonce** une énumération, une explication ou des paroles.

3 Complète par une virgule ou un point-virgule.

1. Je vous ai apporté des pommes .... des poires .... une salade et des tomates.

2. J'ai fait les courses ce matin .... j'ai acheté du pain .... du lait et de l'eau.

3. Cet été .... nous avons bien profité du soleil .... à présent .... nous sommes prêts à affronter vent .... pluie et neige.

4 Recopie les phrases suivantes en rétablissant la bonne ponctuation faible.

1. Hier soir. Nous sommes allés au théâtre nous avons ? vu une pièce de Molière.

....

2. Il fallait ! Être au théâtre. À vingt heures ? mais nous avons raté le train.

....

3. Nous avons dû, prendre : un taxi. Il nous a déposés ; une minute ! avant le lever, de rideau.

....

....

Je sais ponctuer un dialogue

- Le dialogue est **introduit par un deux-points** et des **guillemets**.
- Les **tirets en début de ligne** marquent un changement d'interlocuteur.

5 Recopie ces phrases en ponctuant correctement les dialogues.

1. Ma mère m'a demandé à quelle heure rentres-tu

....

> À l'intérieur d'un dialogue, on peut intégrer entre virgules une petite proposition comme : *dit-il, me répond-il*.

2. En arrivant au théâtre, ma sœur m'a dit tu devrais quitter ton manteau je préfère le garder

....

....

3. Ne te dérange pas pour moi m'a dit ma sœur je ferai le trajet toute seule

....

....

6 Corrige les fautes de ponctuation contenues dans ces dialogues.

1. « Il m'a dit je n'ai pas encore fini ». ....

2. « Où vas-tu de ce pas ? » lui ai-je demandé « y a-t-il le feu quelque part ? »

....

....

3. Il m'a dit « ne reste pas là. De quel droit me donnes-tu des ordres ! »

....

....

7 **J'APPLIQUE** pour écrire

Voici un texte sans aucun signe de ponctuation. Réécris-le en rétablissant la ponctuation et les majuscules manquantes.

À 21 ans Molière rencontre une comédienne appelée Madeleine Béjart il fonde avec elle sa première troupe de théâtre un jour Molière dit à ses comédiens nous avons des difficultés financières partons sur les routes de France pendant douze ans ils parcoururent l'Ouest puis le Sud de la France en jouant de nombreuses comédies

....

....

....

....

....

....

....

Coche la couleur que tu as le mieux réussie.

Relève de nouveaux défis ! ⟶ exercices 1, 2, p. 114
Améliore tes performances ! ⟶ exercice 3, p. 114
Prouve que tu es un champion ! ⟶ exercices 4, 5, p. 114

Chacun son rythme

38 Je sais exprimer la négation

Je n'oublie pas la première partie de la négation

- Dans une phrase négative, le **verbe** est toujours **précédé de *ne* ou *n'***.

  *Il **n'**a vu aucune trace.*

- À cause d'une **liaison**, on peut facilement **oublier le *n'***.

  On a pas fini au lieu de : *On **n'**a pas fini* (qui se prononcent de la même façon).

- Les **différentes négations** sont : *ne... pas, ne... plus, ne... jamais, rien, personne, aucun, nul(le) (+ ne), ne... que (= seulement).*

1 Corrige les fautes dans ces phrases négatives.

1. Ce spectacle est pas très intéressant. ....

2. Lui donne pas trop de bonbons. ....

3. Avez-vous qu'un seul modèle ? ....

2 Ajoute *n'* quand il le faut.

1. On .... a fini très tôt. • On .... a rien entendu. • On .... a tout vu.

2. Rien .... a été répété. • Personne .... est venu. • On .... est heureux de te voir.

3. On .... a vu personne. • On .... a trouvé aucune trace de son passage. • Il .... est nulle part.

3 Utilise un mot exprimant le contraire du mot souligné pour former une phrase négative.

1. J'ai <u>tout</u> vu. ....

• <u>Tout</u> m'a intéressé. ....

2. <u>Tout le monde</u> est arrivé à l'heure. ....

• Je les ai <u>tous</u> vus. ....

3. Il a mangé <u>tous</u> les gâteaux. ....

• J'ai regardé <u>partout</u>. ....

Je modifie les articles

- Les articles indéfinis et partitifs *un, une, des, du, de l'* ne s'utilisent pas dans les phrases négatives. Ils sont **remplacés** par *de (d')*.

  *J'ai pris **un** parapluie.* ➡ *Je n'ai pas pris **de** parapluie.*

4 Mets ces phrases à la forme négative de façon à exprimer le contraire.

1. J'ai mangé des pommes. ....

• Je prends des céréales. ....

2. J'ai acheté un livre. ....

• Prends du pain. ....

3. Je lis encore des BD. ....

• J'ai toujours des bonnes notes. ....

> Tu peux utiliser les **négations** *ne... pas, ne... plus, ne... jamais.*

Je modifie la place et la forme des pronoms dans les phrases à l'impératif

- Dans une phrase à la forme **affirmative**, un verbe à l'**impératif** est parfois suivi d'un pronom personnel.
- Dans une phrase à la forme **négative**, le **pronom** se place **avant le verbe**.

  *Donne-**lui** la main.* → *Ne **lui** donne pas la main.*

- Les pronoms ***toi*** et ***moi*** sont remplacés par ***te (t')*** et ***me (m')***.

  *Approche-**toi** !* → *Ne **t'**approche pas !*

5 Mets ces phrases à la forme négative.

1. Rejoins-nous. _____ • Dis-le. _____

2. Dépêchez-vous. _____ • Pousse-toi. _____

3. Ouvre-moi la porte. _____ • Fais-moi un café. _____

6 Transpose ces phrases négatives à l'impératif.

1. Tu ne lui dis pas la vérité. _____

• Tu ne nous réponds pas. _____

2. Nous ne le regardons pas. _____

• Nous ne les avons pas sur nous. _____

3. Tu ne lui en parles pas. _____

• Vous n'êtes pas en retard. _____

7 **JE CONSOLIDE** mon orthographe

Exprime le contraire des phrases suivantes en utilisant des phrases négatives.

1. Ils viennent le samedi. _____

2. Ils apportent des gâteaux. _____

3. On apprécie leurs visites. _____

4. On est toujours à la campagne le dimanche. _____

5. Tout le monde a lu ce livre. _____

6. On a tout vu. _____

7. J'ai vu tous ses films. _____

8. Apporte-moi une chaise. _____

9. Indique-leur un raccourci. _____

8 **J'APPLIQUE** pour écrire

Rédige un texte où la plupart des phrases seront à la forme négative sur le thème : « je n'aime pas ».

Consigne
- 6 phrases
- 4 phrases à la forme négative

Coche la couleur que tu as le mieux réussie.

☐ Relève de nouveaux défis ! ⟶ exercices 6, 7, 8, p. 114

☐ Améliore tes performances ! ⟶ exercices 9, 10, p. 114 et 11, p. 115

☐ Prouve que tu es un champion ! ⟶ exercices 12, 13, p. 115

Chacun son rythme

111

39 Je sais exprimer l'interrogation

Je reconnais les caractéristiques de la phrase interrogative

- La phrase interrogative se termine par un **point d'interrogation**.
- Elle comporte l'expression **est-ce que** ou une **inversion du sujet**.

  Est-ce que tu viens. Viens-*tu* ?
- Elle peut comporter en plus un **mot interrogatif** *(pourquoi, où, comment, qui…)*.

  Pourquoi as-tu crié ? *Pourquoi* est-ce que tu as crié ?

Remarque : quand le **sujet** n'est **pas un pronom personnel**, l'inversion peut se pratiquer de deux façons : **inversion simple ou inversion du pronom personnel** correspondant.

*Où vont **les enfants** ? Où les enfants vont-**ils** ?*

Aux temps composés, le pronom inversé se place entre l'auxiliaire et le participe passé.

1 Transforme ces phrases en interrogations, en utilisant successivement les deux procédés (inversion du sujet et *est-ce que*).

1. Il arrivera bientôt. ....

2. Il a tout mangé. ....

3. On a fini, c'est bien. ....

2 Transforme ces interrogations en utilisant, si possible, les deux types d'inversion.

1. Quand est-ce que nos amis reviennent ? ....

....

2. Où est-ce que tes parents sont partis ? ....

....

3. Pourquoi est-ce que ce film a tant de succès ? ....

....

3 Pose la question portant sur les mots soulignés (en utilisant le nombre de procédés indiqués).

1. `2 PROCÉDÉS` Ils sont allés <u>à Paris</u>. ....

2. `2 PROCÉDÉS` Sa sœur a visité la Bretagne <u>à vélo</u>. ....

....

3. `3 PROCÉDÉS` La voiture sera réparée <u>demain</u>. ....

....

4 Indique la faute commise dans chaque phrase, puis réécris-la correctement.

1. Pourquoi te caches-tu. ....

....

2. Quand l'avion arrive ? ....

....

....

3. Pourquoi est-ce Pierre court-il si vite ? ....

....

....

Je sais insérer une interrogation dans un récit

- La phrase interrogative se rencontre surtout **dans les dialogues**.
- On peut intégrer une question **dans un récit**.
  - On conserve le **mot interrogatif** ou on ajoute *si*.
  - On supprime *est-ce que* ou l'**inversion du pronom personnel sujet**.
  - On adapte le **temps des verbes** et les **pronoms personnels** au récit.

    « *Où sont-ils ?* » ➡ *Ma mère me demande* ***où** ils sont*.

    « *Est-ce que tu viens ?* » ➡ *Ma sœur m'a demandé* ***si je venais***.

5 Indique la faute commise dans ces phrases, puis réécris-les correctement.

1. Mes amis m'ont demandé où j'avais acheté mon pull ? ....

....

2. Je me demande où est-ce que nous irons skier cet hiver. ....

....

3. Il m'a demandé pourquoi n'étaient-ils pas venus plus tôt. ....

....

6 Insère ces phrases interrogatives dans les débuts de récit au présent.

1. « Pourquoi sont-ils sortis par ce mauvais temps ? » Personne ne sait ....

....

2. « Quand arriveras-tu ? » Jules me demande ....

3. « Est-ce que tu as fini ? » Le professeur me demande ....

7 Insère ces phrases interrogatives dans les débuts de récit au passé.

1. « Comment fait-il ? » Je me suis demandé ....

2. « À quelle heure le film commence-t-il ? » Paul m'a demandé ....

3. « Prendra-t-il le dernier train ? » On se demandait ....

8 **J'AMÉLIORE** ma rédaction

Dans ce petit texte, 6 fautes portant sur l'interrogation se sont glissées. Réécris le texte en corrigeant les fautes.

Ma sœur m'a demandé où est-ce que le chat était. Je lui ai dit : « Comment veux-tu que je le sache. » Elle s'est mise en colère : « Pourquoi tu ne le surveilles jamais ? » Je lui ai demandé est-ce qu'elle n'était pas sourde ? Pussycat miaulait pour qu'on lui ouvre la porte.

....

....

....

....

Coche la couleur que
tu as le mieux réussie.

☐ Relève de nouveaux défis ! ⟶ **exercices 14, 15, p. 115**

☐ Améliore tes performances ! ⟶ **exercice 16 p. 115**

☐ Prouve que tu es un champion ! ➔ **exercices 17, 18, p. 115**

Chacun
son rythme

Je sais ponctuer un texte

1. Bon point Entoure la bonne ponctuation.

1. Où avez-vous passé vos vacances **?** / **!**

2. Quel temps **.** / **!**

3. Apporte ce que tu veux : ballons, jeux de cartes, raquettes **.** / **...**

4. Elle m'a réservé un accueil charmant **?** / **.**

2. Vrai ou faux ? Barre les phrases fausses.

1. Après le point-virgule, on met une majuscule.

2. Les guillemets ouvrent et ferment un dialogue.

3. La virgule et le deux-points ne sont pas suivis d'une majuscule.

4. Il existe deux sortes de point.

3. Abracadabra Rétablis les virgules disparues.

1. Vous trouverez tout l'équipement dans notre magasin : chaussures chaussettes gants bonnets.

2. Chaque matin dans mon lit au réveil j'écoute la radio.

3. Ils ont commencé l'escalade à sept heures ils ont fait une pause au bout de deux heures se sont arrêtés pour déjeuner et sont redescendus dans la vallée.

4. Double sens Ponctue ces phrases de deux façons pour obtenir deux sens différents.

1. Paul dit le professeur est absent aujourd'hui.

1. ....

2. ....

2. Il a affirmé ensuite personne n'est entré.

1. ....

2. ....

5. Remue-méninges Utilise 5 virgules, 1 point d'exclamation, 1 deux-points et 1 point-virgule dans une phrase la plus courte possible. Compte les mots et compare avec tes camarades.

....
....
....
....

Je sais exprimer la négation

6. Range-phrases Coche la bonne colonne et souligne les négations.

Forme	affirmative	négative
1. Tout va bien.	☐	☐
2. Il ne voit rien.	☐	☐
3. Les jeux sont faits.	☐	☐
4. Il ne faut jamais remettre au lendemain.	☐	☐
5. Nous ne nous voyons pas souvent.	☐	☐
6. Ils se croisent tous les jours.	☐	☐
7. Où allez-vous ?	☐	☐

Quel petit mot trouves-tu toujours dans les phrases négatives ? ....

7. Vrai ou faux ? Coche la bonne colonne.

	V	F
1. Une phrase négative comporte une négation.	☐	☐
2. *Ne* (ou *n'*) n'est pas obligatoire.	☐	☐
3. *Ne... que* signifie *seulement*.	☐	☐
4. L'impératif n'existe pas à la forme négative.	☐	☐

8. Labo des mots Complète par la négation qui convient.

1. Autrefois, je les rencontrais souvent, maintenant je ne les vois ....

2. Alors qu'ils habitent à côté, je ne les vois ....

9. Lettres mêlées Remets ces lettres en ordre et retrouve deux négations.

1. (Ne...) N I E R ....

2. (Ne...) N E P S E N O R ....

10. Remue-méninges Mets ces phrases à la forme négative sans en changer le sens, mais en utilisant un mot de sens contraire.

Ex : *C'est bien.* ➜ *Ce n'est pas mal.*

1. Il est gentil. ....

2. Il reste toujours chez lui. ....

11. *Jeu du smiley* **Écris le texte suivant à la forme négative en lui donnant un sens contraire.**

☺ Ce jeu vidéo est passionnant. Il a tout pour plaire. Toutes les étapes sont amusantes, et je gagne toujours !

☹ ....
....
....
....
....

12. *Meli-mélo* **Mets ces éléments dans l'ordre pour reconstituer trois proverbes à la forme négative.**

| Qui ne | sans feu | Il ne faut | fumée | risque |
| de rien | rien | jurer | n'a rien | Il n'y a | pas de |

....
....
....
....

13. *Chasse aux intrus* **Barre les phrases négatives comportant des erreurs, puis réécris-les correctement.**

1. Il travaille pas bien.
2. Il ne vient pas souvent.
3. Je vois rien.
4. On a même pas eu peur.
5. Il ne cesse de m'appeler.
6. Est-ce qu'il a pas raté le train ?

....
....
....
....
....

Je sais exprimer l'interrogation

14. *Chasse aux intrus* **Barre les phrases interrogatives qui comportent une faute.**

Est-ce que tu vas bien ? • Où vas-tu. • Pourquoi êtes-vous partis ? • Où sont-ils ? • Quand tu commences ? • Est-ce fini ? • Comment est-ce que le film a-t-il fini ?

15. *Vrai ou faux ?* **Coche la bonne colonne.**

	V	F
1. Toutes les phrases interrogatives comportent *est-ce que*.	☐	☐
2. Toutes les phrases interrogatives se terminent par un point d'interrogation.	☐	☐
3. L'inversion du sujet est toujours possible avec un pronom personnel.	☐	☐
4. On peut insérer une question dans un récit.	☐	☐

16. *Lettres mêlées* **Remets ces lettres en ordre de façon à retrouver des mots interrogatifs.**

1. T O M N C E M ....
2. E C B I N O M ....
3. O U R Q I U P O ....
4. D A N Q U ....

17. *Méli-mélo* **Remets ces mots en ordre de façon à obtenir deux phrases interrogatives.**

rejoindre • est-ce • quand • t • s' • pluie • nous • vous • la • arrêtera • pourrez • que • elle

....
....
....
....

18. *Charades* **Résous les charades pour trouver les trois mots qui te permettront de compléter la phrase interrogative.**

1. **Mon premier** est une note de musique. **Mon deuxième** sert à traverser les cours d'eau. **Mon troisième** est un jeu à six faces qui tient dans la main et **mon tout** est le 1er mot.

Réponse : ....

2. **Mon 2e mot** est un chiffre parfois magique ou associé aux amis de Blanche-Neige.

Réponse : ....

3. Deux, quatre, six… appartiennent à la catégorie de nombres de **mon premier**. **Mon second** est l'action que fait la cloche et **mon tout** est le 3e mot.

Réponse : ....

Phrase : *Que* .... *-vous à* ....
.... ?

40 Je sais utiliser le bon niveau de langue

J'identifie les trois niveaux de langue

- Le niveau **courant** ➜ à l'oral et à l'écrit : phrases correctes, vocabulaire simple.
  J'aime bien ce livre.
- Le niveau **soutenu** ➜ à l'écrit : mots rares, tournures recherchées.
  Cet ouvrage m'enchante.
- Le niveau **familier** ➜ à l'oral : tournures incorrectes, argot, mots abrégés.
  Je kiffe c'bouquin.

1 Coche le niveau de langue correspondant.

	FAMILIER	COURANT	SOUTENU
1. T'es où ?	☐	☐	☐
2. J'arriverai avec dix minutes de retard.	☐	☐	☐
3. Nous nous réjouissons de cette perspective.	☐	☐	☐
4. Ils ont réussi.	☐	☐	☐
5. Ils partirent à l'aube.	☐	☐	☐
6. T'as-vu ta tête ?	☐	☐	☐

2 Classe ces mots et expressions. Tu peux consulter un dictionnaire.

résider • habiter • crécher • sublime • trop cool • bien • las • fatigué • crevé
• godasses • chaussures • souliers • dérober • voler • piquer • tu kiffes ?
• apprécies-tu ? • est-ce que tu aimes ?

Courant	Familier	Soutenu

Je sais choisir le vocabulaire

- Dans une **rédaction**, il faut utiliser le vocabulaire **courant**.
- Les mots utilisés à l'**oral** comme : *prof, copain, ça...* sont à éviter.

3 Souligne les mots familiers et remplace-les par un synonyme courant.

1. Mon prof a une nouvelle bagnole. ....

2. Mon pote s'est fait virer du bahut. ....

3. J'ai trop la trouille de me paumer. ....

Je sais construire des phrases grammaticalement correctes

- Phrases **négatives** : ne pas oublier la **1re partie de la négation**. ▶ fiche 38
- Phrases **interrogatives** : ne pas oublier l'**inversion du sujet**. ▶ fiche 39
- Ne pas utiliser d'**abréviations** : *t'es* au lieu de *tu es*.
- Ne pas supprimer un **pronom personnel sujet** : *Faut qu'on fasse vite* au lieu de *Il faut*.
- Ne pas reprendre inutilement un **sujet** ou un **complément** (comme à l'oral) : *Pierre, il est parti* au lieu de *Pierre est parti*.

4 Corrige les fautes contenues dans ces phrases négatives ou interrogatives.

1. On l'a pas vu de la journée. Il est où ? ....

2. On a rien oublié. À quelle heure on part ? ....

3. Où c'est ? J'ai trouvé l'adresse nulle part. ....

5 Réécris les phrases en rétablissant les lettres ou les pronoms manquants.

1. T'es énervant, faut toujours qu'on te répète les consignes. ....

....

2. Faut pas croire que t'as déjà gagné. ....

3. J'te dis qu'y a assez de place pour tout le monde. ....

6 Réécris les phrases en supprimant les reprises inutiles.

1. Paul, il a encore oublié ses affaires. ....

2. Des erreurs, tu en commettras toujours. ....

3. Cette phrase, on l'a répétée cent fois. ....

7 Réécris ces phrases en utilisant un niveau de langue courant.

1. J'aime pas ses nouvelles fringues, j'trouve qu'elles lui vont pas. ....

....

2. Son histoire, j'la crois pas. Pourquoi il a menti ? ....

....

3. On a pas un peu trop bouffé ? Toi, t'en penses quoi ? ....

....

8 **J'APPLIQUE** pour écrire

Voici la fable « Le Corbeau et le Renard » résumée en langage familier.
Réécris-la en langage courant.

Un renard qu'avait la dalle voit un corbeau avec un fromage. « Hé ! Salut, mon pote, t'es trop beau toi ! Y paraît qu'tu chantes aussi bien qu't'es beau ! » C't andouille de corbeau ouvre le bec et lâche le fromage. Le renard se grouille de l'emporter.

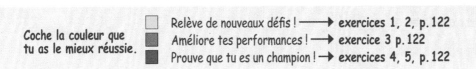

Coche la couleur que
tu as le mieux réussie.
- Relève de nouveaux défis ! ⟶ exercices 1, 2, p. 122
- Améliore tes performances ! ⟶ exercice 3 p. 122
- Prouve que tu es un champion ! ⟶ exercices 4, 5, p. 122

Chacun son rythme

41 Je sais éviter les répétitions

Je sais éviter les répétitions en utilisant un pronom (reprise pronominale)

- Pour éviter de **répéter un GN**, on peut utiliser **différents pronoms** :
  - pronom **personnel** : *Mon père n'est pas arrivé : ~~mon père~~ il est encore au bureau.*
  - pronom **démonstratif** : *Ce spectacle s'adresse aux élèves du primaire et ~~aux élèves~~ à ceux du collège.*
  - pronom **possessif** : *Ton pull est plus joli mais ~~mon pull~~ le mien est plus chaud.*

1 Souligne les reprises pronominales des noms en gras.

1. Connais-tu cette **fable** ? Elle a été écrite par La Fontaine, je l'ai étudiée en classe.

2. Je te propose ces deux **livres** : celui-ci est un roman et celui-là un conte.

3. À qui est ce **téléphone** ? Celui de mon frère lui ressemble, mais ce n'est pas le sien.

2 Remplace les GN soulignés par le type de pronom proposé.

1. PRONOM PERSONNEL Nous avons retrouvé nos amis ; nos amis .... étaient là avant nous.

2. PRONOM POSSESSIF J'ai acheté un nouveau stylo ; mon stylo .... fuyait.

3. PRONOM DÉMONSTRATIF J'aime ma chambre, mais la chambre .... de mon frère est plus claire.

Je sais éviter les répétitions en utilisant un GN (reprise nominale)

- On peut utiliser un **synonyme adapté au contexte**. ▶ fiche 35
  - *l'écrivain : l'auteur, le romancier, le poète*
- On peut aussi utiliser un **mot plus général** appelé **mot générique**.
  - *le chien : l'animal, le mammifère*

3 Supprime les répétitions en utilisant un synonyme.

1. Je viens de finir un très bon livre, ~~ce livre~~ .... m'a été recommandé par une amie.

2. Sa voiture est tombée en panne, il a dû laisser ~~sa voiture~~ .... au garage.

3. Notre collège est tout neuf, c'est ~~un collège~~ .... très bien équipé.

4 Supprime les répétitions en utilisant un terme générique.

1. Mes amis m'ont offert un perroquet pour mon anniversaire, ~~ce perroquet~~ .... répète tout ce qu'on lui dit.

2. J'ai offert des roses à ma grand-mère, j'ai acheté ~~ces roses~~ .... près de chez moi.

3. Une grenouille rencontra un bœuf : ~~la grenouille~~ .... voulut devenir aussi grosse que ~~le bœuf~~ ....

5 Propose une reprise pronominale et une reprise nominale
(synonyme ou nom générique).

1. Un chien est entré dans la classe : `PRONOM` .... avait suivi son maître.

`SYN. OU NOM + GÉNÉRAL` .... avait suivi son maître.

2. Nous avons fait un voyage fin juin, `PRONOM` .... a duré deux mois.

`SYN. OU NOM + GÉNÉRAL` .... a duré deux mois.

3. Le rat des villes invita le rat des champs : `PRONOM` .... commencèrent à dîner.

`SYN. OU NOM + GÉNÉRAL` .... commencèrent à dîner.

Je sais éviter les répétitions en utilisant une périphrase

- La **périphrase** est un **groupe de mots qui caractérise** un nom et que l'on utilise à sa place.

Paris : la capitale de la France

6 Indique les noms que ces périphrases remplacent.

1. le Roi-Soleil : .... • le roi des animaux : ....

2. l'auteur des *Misérables* : .... • la langue de Molière : ....

3. la péninsule ibérique : .... • la cité phocéenne : ....

7 Évite la répétition des mots soulignés en utilisant les procédés indiqués.

1. Nous habitons une nouvelle maison. `SYN.` .... `PRON. PERS.` .... est
au bord de la mer.

2. J'ai reçu une carte postale du Brésil. `NOM GÉNÉRIQUE` ....

`PRON. DÉMONS.` .... venait de mon amie Teresa.

3. J'aime beaucoup Molière. `NOM GÉNÉRIQUE` ....

`PÉRIPHRASE` .... vivait au XVIIᵉ siècle.

8 **J'APPLIQUE** pour écrire

Au début de la fable « Le Lion et le Rat », le lion épargne la vie d'un rat
qu'il aurait pu dévorer. Voici le résumé de la suite.

Quelque temps plus tard, le lion est pris dans un piège dont il ne
parvient pas à se libérer. Le rat accourt à son secours et ronge les
mailles du filet qui recouvre le lion et sauve le lion.

Remplace les noms en gras en utilisant les reprises indiquées :

a) **en rouge, nom générique :** ....

b) **en bleu, pronom :** ....

c) **en vert, périphrase :** ....

Coche la couleur que
tu as le mieux réussie.

☐ Relève de nouveaux défis ! ⟶ **exercices 6, 7, p. 122**
☐ Améliore tes performances ! ⟶ **exercice 8 p. 122**
☐ Prouve que tu es un champion ! ⟶ **exercices 9, 10, p. 123**

Chacun son rythme

42 Je sais structurer mon texte

Pour structurer un texte, on utilise des connecteurs : mots invariables ou GN.

Je sais utiliser les connecteurs de temps

- Les **connecteurs de temps** montrent l'**enchaînement des événements** : *d'abord, ensuite, à ce moment, enfin, hier, quelques jours plus tard, le matin, dix ans après…*
- Ils s'utilisent surtout dans les **récits**.

Pour tous les exercices, il y a plusieurs possibilités.

1 Utilise les connecteurs de temps proposés pour compléter les phrases.

et • après cela • ensuite • au début • aussitôt • avant • le matin • soudain • alors • dix minutes plus tard

1. ...., nous avons fait une longue promenade, ... nous sommes rentrés à la maison.

2. ...., je ne voyais rien ; ...., j'ai distingué une forme étrange ; ...., le monstre m'est apparu.

3. Je suis entré dans la pièce, ... tous les regards se sont tournés vers moi ; ...., je me suis assis, ... toutes les conversations ont repris.

2 Utilise les groupes verbaux à l'infinitif pour construire une phrase comportant au moins quatre connecteurs de temps.

Tu peux reprendre certains des connecteurs proposés dans l'exercice 1 et tu ajoutes les sujets de ton choix.

1. se lever, prendre une douche, déjeuner, partir : ....
....

2. visiter la ville, découvrir les alentours, faire une randonnée, se reposer : ....
....

3. arriver au stade, s'échauffer, marquer deux buts, réagir, gagner : ....
....
....

Je sais utiliser les connecteurs de lieu

- Les **connecteurs de lieu** montrent **où se situent les éléments d'un lieu, d'un décor** : *au fond, au premier plan, à droite, au milieu, partout, loin, près, en haut, en bas…*
- Ils s'utilisent surtout dans les **descriptions**.

3 Utilise les connecteurs de lieu proposés pour compléter les phrases.

ici • là • au loin • au fond • au premier plan • à droite • à gauche • au milieu • à l'horizon • derrière

1. ...., on voit deux enfants ; ...., on distingue une petite rivière ; ...., on aperçoit une forêt.

2. Rentre dans ma chambre : tu vois .... mon lit, ... mon bureau, ... mon armoire, ... la fenêtre qui donne sur le parc.

3. ...., les enfants construisent des châteaux de sable, ... les vagues frappent le rivage, ... on aperçoit les voiles des bateaux.

4 Utilise les éléments de décor proposés pour rédiger une phrase descriptive comportant au moins trois connecteurs de lieu.

1. sapins, pistes enneigées, télésièges, skieurs : ....

....

2. scène, rideau rouge, salle, fauteuils : ....

....

3. village, église, boulangerie, voitures, maisons : ....

....

Je sais utiliser les connecteurs logiques

- Les **connecteurs logiques** facilitent la **compréhension** du texte ; ils montrent l'**enchaînement des idées** : *donc, car, en effet, mais, ainsi, parce que, pour que...*
- Ils s'utilisent lorsque l'on veut **exposer une opinion**, **se justifier**.
  *Je suis passée chez toi, **mais** il n'y avait personne, **donc** je suis partie.*

5 Utilise les connecteurs logiques proposés pour compléter les phrases.

car • mais • c'est pourquoi • donc • en effet • pourtant • ainsi

1. Ils ne sont pas venus .... leur voiture était en panne.

2. Nous avons tout préparé. .... nous sommes sûrs d'être prêts à l'heure

3. Cette équipe a de grandes qualités, ... elle a été dominée par ses adversaires.

6 Utilise les mots suivants pour construire une phrase comportant un connecteur logique.

1. froid • manteau : ....

2. soleil • se baigner : ....

3. attendre longtemps • ne voir personne : ....

....

7 J'AMÉLIORE ma rédaction

Dans ce résumé d'une fable de La Fontaine, il n'y a aucun connecteur : complète-le par des connecteurs adaptés à la situation.

.... la tortue décida de défier le lièvre à la course. Le lièvre se moqua d'elle .... il savait qu'il était plus rapide. La tortue se mit en marche .... , ... le lièvre prit son temps. .... , il s'arrêta pour cueillir des fleurs, ... des fruits. .... il se reposa. La tortue continua à avancer. .... le lièvre vit la tortue près du but, ... il s'élança, ... c'était trop tard. .... la tortue gagna la course.

Coche la couleur que tu as le mieux réussie.

☐ Relève de nouveaux défis ! ➔ **exercices 11, 12, p. 123**

▨ Améliore tes performances ! ➔ **exercices 13, 14, p. 123**

■ Prouve que tu es un champion ! ➔ **exercices 15, 16, p. 123**

Chacun son rythme

Je sais utiliser le bon niveau de langue

1. Range-phrases **Classe les numéros des phrases dans la bonne colonne.**

1. Il fait beau.

2. Ce mets est exquis.

3. C'est moche !

4. Ça va pas ?

5. Où réside-t-il actuellement ?

6. Nous ne voudrions pas vous importuner.

7. Est-ce qu'il est là ?

8. Nous sommes contraints de vous inviter à patienter.

Niveau courant	Niveau soutenu	Niveau familier
....	....	....

2. Chasse aux intrus **Barre le mot qui n'appartient pas au même niveau de langue que les autres.**

1. effroi • désappointement • offense • timoré • trouillard • exécrer • s'immiscer

2. correct • pauvre • raisonnable • bien • facile • sérieux • dingue

3. fastoche • godasse • engueuler • se marrer • déglingué • accalmie • dégueulasse

3. Labo des mots **Transforme ces phrases en langage courant.**

1. J'y crois pas ! Tu t'es encore planté ? ....
....

2. Jules, j'le connais, y s'marre tout le temps. ....
....

3. On avait rien capté à cause du boucan. ....
....

4. Méli-mélo **Mets ces éléments dans l'ordre pour retrouver deux phrases interrogatives. Classe-les sur la bonne ligne.**

c'est • a • quand • rencard • rendez-vous • est-ce que • avons • quand • nous • qu'on

Niveau courant : ....
....

Niveau familier : ....

5. Charade

Mon premier comporte douze mois. **Mon deuxième** désigne la bouche de certains animaux. **Mon troisième** est une voyelle avec un accent. **Mon tout** complète la phrase que tu devras réécrire en utilisant un niveau de langue courant.

Réponse : ....

Phrase : *J'me suis fait* ...., *j'étais à la bourre !*

Langage courant : ....
....

Je sais éviter les répétitions

6. Méli-mélo **Souligne en bleu les reprises pronominales et en rouge les reprises nominales.**

1. Connais-tu mon frère ? Il est dans ta classe.

2. Ton pull est très beau mais le mien est plus chaud.

3. Il y a un nouvel élève : ce collégien arrive des États-Unis.

4. Ma mère est en retard, elle a raté son train.

5. J'ai un teckel, ce petit chien me tient compagnie.

6. J'ai visité Paris, cette ville est magnifique.

7. J'aime beaucoup ce pull mais celui-ci te va mieux.

7. Quiz **Coche les phrases vraies.**

Pour éviter les répétitions :

☐ on utilise obligatoirement des pronoms.

☐ on utilise seulement les pronoms personnels.

☐ on peut utiliser des synonymes.

☐ on peut utiliser des termes génériques.

8. Labo des mots **Complète par la reprise demandée.**

1. **REPRISE PRONOMINALE** Mon père m'a offert un nouveau téléphone : j'.......... rêvais depuis longtemps.

2. **REPRISE PRONOMINALE** Où sont mes clés ? Je .... avais posées sur la table et .... n'.......... sont plus.

3. **REPRISE NOMINALE** Nous habitons Marseille : .... est située au bord de la Méditerranée.

4. **REPRISE NOMINALE** Cet été, nous allons en Chine, je ne connais pas du tout ....

9. Mots mêlés **Retrouve dans cette grille cinq reprises qui te permettront d'éviter les répétitions dans les phrases données.**

T	E	X	T	E
A	L	U	I	Z
R	L	A	G	Y
F	E	L	I	N
P	I	E	C	E

1. J'aime ma chambre : cette .... est vaste.

2. J' ai adoré ce roman, c'est un .... captivant.

3. Mon frère travaille dans une banque, demande- .... ce renseignement.

4. Julie est très gentille, mais .... est toujours en retard.

5. Un tigre s'est échappé : ce .... sème la panique.

10. Mots cachés **Barre tous les mots qui ne sont pas des noms d'animaux, puis place les noms d'animaux restants en face du GN utilisé comme reprise par La Fontaine dans ses fables.**

j'arrivemoucherongentilnombreuxchanterloup
travaillerjouergrenouillesrirepleurerlion

1. cette bête cruelle : ....

2. la gent marécageuse : ....

3. chétif insecte : ....

4. le roi des animaux : ....

Je sais structurer mon texte

11. Range-mots **Classe les mots suivants.**

ici • partout • mais • d'abord • ensuite • en haut • donc
• là-bas • loin • enfin • puis • or • bientôt

Connecteurs de temps	Connecteurs de lieu	Connecteurs logiques
....	....	....
....	....	....
....	....	....

12. Jeu de pendu **Trouve les connecteurs manquants (une lettre par tiret).**

1. Il pleuvait, S __ __ __ __ __ N le soleil se mit à briller.

2. Il a perdu, C __ __ __ __ __ __ __ T il n'a pas démérité.

3. A __ __ __ __ __ __ S, il fait toujours beau.

13. Chasse à l'intrus **Trouve l'intrus dans chaque liste et justifie ton choix.**

1. demain • hier • là • souvent • aujourd'hui • prochainement : ....
....

2. ici • partout • çà et là • donc • tout près • en haut • à gauche : ....
....

3. mais • en effet • donc • car • tôt • c'est pourquoi • ainsi • parce que : ....
....

14. Pyramide **Complète cette pyramide avec des connecteurs, à l'aide des définitions.**

1. sert à ajouter
2. synonyme de *là*
3. contraire de *près*
4. contraire de *d'abord*
5. ni hier, ni aujourd'hui
6. synonyme de *puis*
7. synonyme de *cependant*

15. Énigmes et charades **Trouve des connecteurs de temps, de lieu, ou logiques.**

1. Je suis aussi un métal précieux : ....

2. Avec deux petits points en plus, je suis une céréale : ....

3. Mon premier est le contraire de *mal* et mon second le contraire de *tard* : ....

4. Mon premier est un morceau de quelque chose, mon second est le contraire de *rien* : ....

16. Devinette **Barre tous les connecteurs, les mots restants te donneront l'énoncé d'une devinette que tu devras résoudre.**

icijepeuxhierparcourirdonclemondepourtantentier
demainenloinrestantlàbasàaussitôtmaensuiteplace
enfindansd'abordmonàgauchecoin

Devinette : ....
....

Qui suis-je ? ....

PRONOMS ET DÉTERMINANTS

LES PRONOMS

Les pronoms remplacent un nom ou un GN. On les trouve devant un verbe ou après une préposition.

	DÉFINITIONS	EXEMPLES
Les pronoms personnels • *je • tu • il • ils* → sujets • *elle • elles • nous • vous* → sujets ou compléments • *me • moi • te • toi • le • la • l'* *• les • lui • leur • se • soi • eux* → compléments	• Varient en **genre**, en **nombre**, en **personne** et parfois selon leur fonction grammaticale.	⟶ *Tu as de grandes dents !* = pronom personnel sujet, 2ᵉ personne du sing. ⟶ *Je vais te dévorer !* = pronom personnel COD, 2ᵉ personne du sing.
Les pronoms possessifs • *le / les mien(s) • tien(s) • sien(s)* • *la / les mienne(s) •* *tienne(s) • sienne(s)* • *le / la nôtre • vôtre • leur* • *les nôtres • les vôtres • les leurs*	• **Remplacent** un **nom** et indiquent un **lien** (appartenance, filiation…) avec un autre nom du texte. • Varient en **genre**, en **nombre** et en **personne**.	⟶ *J'ai oublié mon livre, prête-moi **le tien**, s'il te plaît.* = le livre de la personne à qui je parle
Les pronoms démonstratifs • *ce, celui • celle(s) • ceux* • *celui-ci • celui-là • celle(s)-ci* *• celle(s)-là • ceux-ci • ceux-là* • *ceci, cela (ça)*	• **Remplacent** un **nom** que l'on **montre** ou dont on a **déjà parlé**.	⟶ *Aimes-tu les contes de Grimm ?* *– Oui, mais je préfère **ceux** de Perrault.* = les contes dont on vient de parler.

LES DÉTERMINANTS

Les déterminants précèdent un nom avec lequel ils s'accordent en genre et en nombre.

	DÉFINITIONS	EXEMPLES
Les articles • **articles définis** : *le • la • les • l'*	• S'emploient **devant un nom déjà utilisé** ou bien **précisé**.	⟶ ***Les*** *contes de Perrault sont célèbres.*
• **articles indéfinis** : *un • une • des*	• S'emploient **devant un nom jamais utilisé** ou **imprécis**.	⟶ *J'aime lire **des** contes.*
• **articles définis contractés** : *au(x) • du • des*	• **Contraction** des prépositions *à* ou *de* et des articles *le* ou *les*.	⟶ *Voici l'histoire **du** Petit Chaperon rouge.* = de + le
• **articles partitifs** : *du • de la • de l'*	• Signifient « **un peu de** ».	⟶ *Je t'apporte **du** beurre.*
Les déterminants possessifs • *mon • ton • son • ma • ta • sa* *• mes • tes • ses • notre • votre* *• leur • nos • vos • leurs*	• S'emploient **devant un nom** qui a un **lien** (appartenance, filiation…) avec un autre nom du texte.	⟶ *La petite fille porte du beurre à **sa** grand-mère.* = la grand-mère de la petite fille
Les déterminants démonstratifs • *ce • cet • cette • ces* • *ce… -ci / -là • cette… -ci / -là* *• ces… -ci / -là*	• S'emploient **devant un nom** que l'on montre ou dont on a **déjà parlé**.	⟶ *J'ai lu les contes de Perrault et j'ai apprécié **cette** lecture.* = la lecture des contes de Perrault

LES PRINCIPAUX PRÉFIXES ET SUFFIXES

LES PRÉFIXES

Les préfixes se placent avant le radical ou le mot simple et ils en modifient le sens.

	SENS	EXEMPLES
a- • an-	• négatif	▸ anormal
ad- • ap- • ac-...	• vers	▸ addition • apporter
com- • con- • col- • co-	• avec	▸ concourir • colocataire
dé(s)-	• négatif	▸ désobéir
dis-	• séparer	▸ disjoindre
e- • ex-	• à l'extérieur	▸ exporter
en- • em- • in- • im-	• dans	▸ emplir • importer
in- • im- • ir- • il-	• négatif	▸ immortel • illisible
mal- • mé-	• négatif	▸ malhonnête • mécontent
pré-	• avant	▸ prévenir
re-	• répétition	▸ retour • refaire • revenir
trans-	• au-delà	▸ transporter

LES SUFFIXES

Les suffixes se placent après le radical ou le mot simple. Ils peuvent changer la classe grammaticale d'un mot, mais aussi changer son sens.

SUFFIXES DE NOMS COMMUNS

	EXEMPLES
-ade • -age	▸ glissade • lavage
-eur • -ateur • -euse • -atrice • -teur • -trice	▸ chercheur • animateur • lectrice
-ien • -ienne • -en • -enne	▸ collégien
-ement	▸ enlèvement
-esse	▸ tristesse • ânesse
-er • -ier • -ie • -erie	▸ boucher • épicier • lingerie
-ise • -isme • -iste	▸ sottise • héroïsme
-oir • -oire • -atoire	▸ mouchoir
-té • -eté • -ité	▸ fierté
-ure	▸ chevelure

SUFFIXES D'ADJECTIFS

	EXEMPLES
-able • -ible • -uble expriment la possibilité	▸ variable • nuisible • soluble
-al • -el	▸ matinal • intellectuel
-ien • -ienne • -en • -enne	▸ aérien
-eux • -ueux • -euse	▸ heureux • luxueux
-if • -ive	▸ sportif
-er • -ier • -ière	▸ gaucher • fruitier
-ique	▸ héroïque
-u	▸ ventru

SUFFIXES DE VERBES

-er • -ir • -ifier • -iser	▸ chanter • finir • finaliser

SUFFIXE D'ADVERBES

-ment [ajouté à un adjectif]	▸ heureusement

SUFFIXES MODIFIANT LE SENS

	SENS	EXEMPLES
-et • -ette • -ot • -otte • -eau • -on	• diminutifs	▸ jardinet • fillette • lapereau
-asse • -âtre	• péjoratifs	▸ paperasse • verdâtre

QUELQUES RADICAUX LATINS

	EXEMPLES
aqua- (eau) • **mar-** (mer) • **equ-** (cheval)	▸ aquatique • maritime • équitation
multi- (nombreux)	▸ multicolore

QUELQUES RADICAUX GRECS

	EXEMPLES
bio- (vie) • **hydr-** (eau) • **chrono-** (temps)	▸ biologie • hydraulique • chronomètre
poly- (nombreux)	▸ polychrome

ÊTRE

INDICATIF

PRÉSENT	PASSÉ COMPOSÉ
je suis	j'ai été
tu es	tu as été
il est	il a été
nous sommes	nous avons été
vous êtes	vous avez été
ils sont	ils ont été

IMPARFAIT	PLUS-QUE-PARFAIT
j'étais	j'avais été
tu étais	tu avais été
il était	il avait été
nous étions	nous avions été
vous étiez	vous aviez été
ils étaient	ils avaient été

PASSÉ SIMPLE	PASSÉ ANTÉRIEUR
je fus	j'eus été
tu fus	tu eus été
il fut	il eut été
nous fûmes	nous eûmes été
vous fûtes	vous eûtes été
ils furent	ils eurent été

FUTUR SIMPLE	FUTUR ANTÉRIEUR
je serai	j'aurai été
tu seras	tu auras été
il sera	il aura été
nous serons	nous aurons été
vous serez	vous aurez été
ils seront	ils auront été

CONDITIONNEL

PRÉSENT	PASSÉ
je serais	j'aurais été
tu serais	tu aurais été
il serait	il aurait été
nous serions	nous aurions été
vous seriez	vous auriez été
ils seraient	ils auraient été

IMPÉRATIF

PRÉSENT
sois
soyons
soyez

INFINITIF

PRÉSENT	PASSÉ
être	avoir été

PARTICIPE

PRÉSENT	PASSÉ
étant	été

AVOIR

INDICATIF

PRÉSENT	PASSÉ COMPOSÉ
j'ai	j'ai eu
tu as	tu as eu
il a	il a eu
nous avons	nous avons eu
vous avez	vous avez eu
ils ont	ils ont eu

IMPARFAIT	PLUS-QUE-PARFAIT
j'avais	j'avais eu
tu avais	tu avais eu
il avait	il avait eu
nous avions	nous avions eu
vous aviez	vous aviez eu
ils avaient	ils avaient eu

PASSÉ SIMPLE	PASSÉ ANTÉRIEUR
j'eus	j'eus eu
tu eus	tu eus eu
il eut	il eut eu
nous eûmes	nous eûmes eu
vous eûtes	vous eûtes eu
ils eurent	ils eurent eu

FUTUR SIMPLE	FUTUR ANTÉRIEUR
j'aurai	j'aurai eu
tu auras	tu auras eu
il aura	il aura eu
nous aurons	nous aurons eu
vous aurez	vous aurez eu
ils auront	ils auront eu

CONDITIONNEL

PRÉSENT	PASSÉ
j'aurais	j'aurais eu
tu aurais	tu aurais eu
il aurait	il aurait eu
nous aurions	nous aurions eu
vous auriez	vous auriez eu
ils auraient	ils auraient eu

IMPÉRATIF

PRÉSENT
aie
ayons
ayez

INFINITIF

PRÉSENT	PASSÉ
avoir	avoir eu

PARTICIPE

PRÉSENT	PASSÉ
ayant	eu(es)

JOUER (1ᵉʳ GROUPE)

INDICATIF

PRÉSENT	PASSÉ COMPOSÉ
je joue	j'ai joué
tu joues	tu as joué
il joue	il a joué
nous jouons	nous avons joué
vous jouez	vous avez joué
ils jouent	ils ont joué

IMPARFAIT	PLUS-QUE-PARFAIT
je jouais	j'avais joué
tu jouais	tu avais joué
il jouait	il avait joué
nous jouions	nous avions joué
vous jouiez	vous aviez joué
ils jouaient	ils avaient joué

PASSÉ SIMPLE	PASSÉ ANTÉRIEUR
je jouai	j'eus joué
tu jouas	tu eus joué
il joua	il eut joué
nous jouâmes	nous eûmes joué
vous jouâtes	vous eûtes joué
ils jouèrent	ils eurent joué

FUTUR SIMPLE	FUTUR ANTÉRIEUR
je jouerai	j'aurai joué
tu joueras	tu auras joué
il jouera	il aura joué
nous jouerons	nous aurons joué
vous jouerez	vous aurez joué
ils joueront	ils auront joué

CONDITIONNEL

PRÉSENT	PASSÉ
je jouerais	j'aurais joué
tu jouerais	tu aurais joué
il jouerait	il aurait joué
nous jouerions	nous aurions joué
vous joueriez	vous auriez joué
ils joueraient	ils auraient joué

IMPÉRATIF

PRÉSENT
joue
jouons
jouez

INFINITIF

PRÉSENT	PASSÉ
jouer	avoir joué

PARTICIPE

PRÉSENT	PASSÉ
jouant	joué(es)

GRANDIR (2ᵉ GROUPE)

INDICATIF

PRÉSENT	PASSÉ COMPOSÉ
je grandis	j'ai grandi
tu grandis	tu as grandi
il grandit	il a grandi
nous grandissons	nous avons grandi
vous grandissez	vous avez grandi
ils grandissent	ils ont grandi

IMPARFAIT	PLUS-QUE-PARFAIT
je grandissais	j'avais grandi
tu grandissais	tu avais grandi
il grandissait	il avait grandi
nous grandissions	nous avions grandi
vous grandissiez	vous aviez grandi
ils grandissaient	ils avaient grandi

PASSÉ SIMPLE	PASSÉ ANTÉRIEUR
je grandis	j'eus grandi
tu grandis	tu eus grandi
il grandit	il eut grandi
nous grandîmes	nous eûmes grandi
vous grandîtes	vous eûtes grandi
ils grandirent	ils eurent grandi

FUTUR SIMPLE	FUTUR ANTÉRIEUR
je grandirai	j'aurai grandi
tu grandiras	tu auras grandi
il grandira	il aura grandi
nous grandirons	nous aurons grandi
vous grandirez	vous aurez grandi
ils grandiront	ils auront grandi

CONDITIONNEL

PRÉSENT	PASSÉ
je grandirais	j'aurais grandi
tu grandirais	tu aurais grandi
il grandirait	il aurait grandi
nous grandirions	nous aurions grandi
vous grandiriez	grandi
ils grandiraient	vous auriez grandi
	ils auraient grandi

IMPÉRATIF

PRÉSENT
grandis
grandissons
grandissez

INFINITIF

PRÉSENT	PASSÉ
grandir	avoir grandi

PARTICIPE

PRÉSENT	PASSÉ
grandissant	grandi(es)

ALLER (3ᴱ GROUPE)

INDICATIF

PRÉSENT	PASSÉ COMPOSÉ
je vais	je suis allé(e)
tu vas	tu es allé(e)
il va	il (elle) est allé(e)
nous allons	nous sommes allé(e)s
vous allez	vous êtes allé(e)s
ils vont	ils (elles) sont allé(e)s

IMPARFAIT	PLUS-QUE-PARFAIT
j'allais	j'étais allé(e)
tu allais	tu étais allé(e)
il allait	il (elle) était allé(e)
nous allions	nous étions allé(e)s
vous alliez	vous étiez allé(e)s
ils allaient	ils (elles) étaient allé(e)s

PASSÉ SIMPLE	PASSÉ ANTÉRIEUR
j'allai	je fus allé(e)
tu allas	tu fus allé(e)
il alla	il (elle) fut allé(e)
nous allâmes	nous fûmes allé(e)s
vous allâtes	vous fûtes allé(e)s
ils allèrent	ils (elles) furent allé(e)s

FUTUR SIMPLE	FUTUR ANTÉRIEUR
j'irai	je serai allé(e)
tu iras	tu seras allé(e)
il ira	il (elle) sera allé(e)
nous irons	nous serons allé(e)s
vous irez	vous serez allé(e)s
ils iront	ils (elles) seront allé(e)s

CONDITIONNEL

PRÉSENT	PASSÉ
j'irais	je serais allé(e)
tu irais	tu serais allé(e)
il irait	il (elle) serait allé(e)
nous irions	nous serions allé(e)s
vous iriez	vous seriez allé(e)s
ils iraient	ils (elles) seraient allé(e)s

IMPÉRATIF

PRÉSENT

va
allons
allez

INFINITIF

PRÉSENT	PASSÉ
aller	être allé(es)

PARTICIPE

PRÉSENT	PASSÉ
allant	allé(es)

FAIRE (3ᴱ GROUPE)

INDICATIF

PRÉSENT	PASSÉ COMPOSÉ
je fais	j'ai fait
tu fais	tu as fait
il fait	il a fait
nous faisons	nous avons fait
vous faites	vous avez fait
ils font	ils ont fait

IMPARFAIT	PLUS-QUE-PARFAIT
je faisais	j'avais fait
tu faisais	tu avais fait
il faisait	il avait fait
nous faisions	nous avions fait
vous faisiez	vous aviez fait
ils faisaient	ils avaient fait

PASSÉ SIMPLE	PASSÉ ANTÉRIEUR
je fis	j'eus fait
tu fis	tu eus fait
il fit	il eut fait
nous fîmes	nous eûmes fait
vous fîtes	vous eûtes fait
ils firent	ils eurent fait

FUTUR SIMPLE	FUTUR ANTÉRIEUR
je ferai	j'aurai fait
tu feras	tu auras fait
il fera	il aura fait
nous ferons	nous aurons fait
vous ferez	vous aurez fait
ils feront	ils auront fait

CONDITIONNEL

PRÉSENT	PASSÉ
je ferais	j'aurais fait
tu ferais	tu aurais fait
il ferait	il aurait fait
nous ferions	nous aurions fait
vous feriez	vous auriez fait
ils feraient	ils auraient fait

IMPÉRATIF

PRÉSENT

fais
faisons
faites

INFINITIF

PRÉSENT	PASSÉ
faire	avoir fait

PARTICIPE

PRÉSENT	PASSÉ
faisant	fait(es)

DIRE (3ᴱ GROUPE)

INDICATIF

PRÉSENT	PASSÉ COMPOSÉ
je dis	j'ai dit
tu dis	tu as dit
il dit	il a dit
nous disons	nous avons dit
vous dites	vous avez dit
ils disent	ils ont dit

IMPARFAIT	PLUS-QUE-PARFAIT
je disais	j'avais dit
tu disais	tu avais dit
il disait	il avait dit
nous disions	nous avions dit
vous disiez	vous aviez dit
ils disaient	ils avaient dit

PASSÉ SIMPLE	PASSÉ ANTÉRIEUR
je dis	j'eus dit
tu dis	tu eus dit
il dit	il eut dit
nous dîmes	nous eûmes dit
vous dîtes	vous eûtes dit
ils dirent	ils eurent dit

FUTUR SIMPLE	FUTUR ANTÉRIEUR
je dirai	j'aurai dit
tu diras	tu auras dit
il dira	il aura dit
nous dirons	nous aurons dit
vous direz	vous aurez dit
ils diront	ils auront dit

CONDITIONNEL

PRÉSENT	PASSÉ
je dirais	j'aurais dit
tu dirais	tu aurais dit
il dirait	il aurait dit
nous dirions	nous aurions dit
vous diriez	vous auriez dit
ils diraient	ils auraient dit

IMPÉRATIF

PRÉSENT

dis
disons
dites

INFINITIF

PRÉSENT	PASSÉ
dire	avoir dit

PARTICIPE

PRÉSENT	PASSÉ
disant	dit(es)

PRENDRE (3ᴱ GROUPE)

INDICATIF

PRÉSENT	PASSÉ COMPOSÉ
je prends	j'ai pris
tu prends	tu as pris
il prend	il a pris
nous prenons	nous avons pris
vous prenez	vous avez pris
ils prennent	ils ont pris

IMPARFAIT	PLUS-QUE-PARFAIT
je prenais	j'avais pris
tu prenais	tu avais pris
il prenait	il avait pris
nous prenions	nous avions pris
vous preniez	vous aviez pris
ils prenaient	ils avaient pris

PASSÉ SIMPLE	PASSÉ ANTÉRIEUR
je pris	j'eus pris
tu pris	tu eus pris
il prit	il eut pris
nous prîmes	nous eûmes pris
vous prîtes	vous eûtes pris
ils prirent	ils eurent pris

FUTUR SIMPLE	FUTUR ANTÉRIEUR
je prendrai	j'aurai pris
tu prendras	tu auras pris
il prendra	il aura pris
nous prendrons	nous aurons pris
vous prendrez	vous aurez pris
ils prendront	ils auront pris

CONDITIONNEL

PRÉSENT	PASSÉ
je prendrais	j'aurais pris
tu prendrais	tu aurais pris
il prendrait	il aurait pris
nous prendrions	nous aurions pris
vous prendriez	vous auriez pris
ils prendraient	ils auraient pris

IMPÉRATIF

PRÉSENT

prends
prenons
prenez

INFINITIF

PRÉSENT	PASSÉ
prendre	avoir pris

PARTICIPE

PRÉSENT	PASSÉ
prenant	pris(es)

POUVOIR (3ᴱ GROUPE)

INDICATIF

PRÉSENT	PASSÉ COMPOSÉ
je peux	j'ai pu
tu peux	tu as pu
il peut	il a pu
nous pouvons	nous avons pu
vous pouvez	vous avez pu
ils peuvent	ils ont pu

IMPARFAIT	PLUS-QUE-PARFAIT
je pouvais	j'avais pu
tu pouvais	tu avais pu
il pouvait	il avait pu
nous pouvions	nous avions pu
vous pouviez	vous aviez pu
ils pouvaient	ils avaient pu

PASSÉ SIMPLE	PASSÉ ANTÉRIEUR
je pus	j'eus pu
tu pus	tu eus pu
il put	il eut pu
nous pûmes	nous eûmes pu
vous pûtes	vous eûtes pu
ils purent	ils eurent pu

FUTUR SIMPLE	FUTUR ANTÉRIEUR
je pourrai	j'aurai pu
tu pourras	tu auras pu
il pourra	il aura pu
nous pourrons	nous aurons pu
vous pourrez	vous aurez pu
ils pourront	ils auront pu

CONDITIONNEL

PRÉSENT	PASSÉ
je pourrais	j'aurais pu
tu pourrais	tu aurais pu
il pourrait	il aurait pu
nous pourrions	nous aurions pu
vous pourriez	vous auriez pu
ils pourraient	ils auraient pu

IMPÉRATIF

PRÉSENT
-
-
-

INFINITIF

PRÉSENT	PASSÉ
pouvoir	avoir pu

PARTICIPE

PRÉSENT	PASSÉ
pouvant	pu

VOIR (3ᴱ GROUPE)

INDICATIF

PRÉSENT	PASSÉ COMPOSÉ
je vois	j'ai vu
tu vois	tu as vu
il voit	il a vu
nous voyons	nous avons vu
vous voyez	vous avez vu
ils voient	ils ont vu

IMPARFAIT	PLUS-QUE-PARFAIT
je voyais	j'avais vu
tu voyais	tu avais vu
il voyait	il avait vu
nous voyions	nous avions vu
vous voyiez	vous aviez vu
ils voyaient	ils avaient vu

PASSÉ SIMPLE	PASSÉ ANTÉRIEUR
je vis	j'eus vu
tu vis	tu eus vu
il vit	il eut vu
nous vîmes	nous eûmes vu
vous vîtes	vous eûtes vu
ils virent	ils eurent vu

FUTUR SIMPLE	FUTUR ANTÉRIEUR
je verrai	j'aurai vu
tu verras	tu auras vu
il verra	il aura vu
nous verrons	nous aurons vu
vous verrez	vous aurez vu
ils verront	ils auront vu

CONDITIONNEL

PRÉSENT	PASSÉ
je verrais	j'aurais vu
tu verrais	tu aurais vu
il verrait	il aurait vu
nous verrions	nous aurions vu
vous verriez	vous auriez vu
ils verraient	ils auraient vu

IMPÉRATIF

PRÉSENT
vois
voyons
voyez

INFINITIF

PRÉSENT	PASSÉ
voir	avoir vu

PARTICIPE

PRÉSENT	PASSÉ
voyant	vu(es)

DEVOIR (3ᴱ GROUPE)

INDICATIF

PRÉSENT	PASSÉ COMPOSÉ
je dois	j'ai dû
tu dois	tu as dû
il doit	il a dû
nous devons	nous avons dû
vous devez	vous avez dû
ils doivent	ils ont dû

IMPARFAIT	PLUS-QUE-PARFAIT
je devais	j'avais dû
tu devais	tu avais dû
il devait	il avait dû
nous devions	nous avions dû
vous deviez	vous aviez dû
ils devaient	ils avaient dû

PASSÉ SIMPLE	PASSÉ ANTÉRIEUR
je dus	j'eus dû
tu dus	tu eus dû
il dut	il eut dû
nous dûmes	nous eûmes dû
vous dûtes	vous eûtes dû
ils durent	ils eurent dû

FUTUR SIMPLE	FUTUR ANTÉRIEUR
je devrai	j'aurai dû
tu devras	tu auras dû
il devra	il aura dû
nous devrons	nous aurons dû
vous devrez	vous aurez dû
ils devront	ils auront dû

CONDITIONNEL

PRÉSENT	PASSÉ
je devrais	j'aurais dû
tu devrais	tu aurais dû
il devrait	il aurait dû
nous devrions	nous aurions dû
vous devriez	vous auriez dû
ils devraient	ils auraient dû

IMPÉRATIF

PRÉSENT
dois
devons
devez

INFINITIF

PRÉSENT	PASSÉ
devoir	ayant dû

PARTICIPE

PRÉSENT	PASSÉ
devant	dû, du(es)

VOULOIR (3ᴱ GROUPE)

INDICATIF

PRÉSENT	PASSÉ COMPOSÉ
je veux	j'ai voulu
tu veux	tu as voulu
il veut	il a voulu
nous voulons	nous avons voulu
vous voulez	vous avez voulu
ils veulent	ils ont voulu

IMPARFAIT	PLUS-QUE-PARFAIT
je voulais	j'avais voulu
tu voulais	tu avais voulu
il voulait	il avait voulu
nous voulions	nous avions voulu
vous vouliez	vous aviez voulu
ils voulaient	ils avaient voulu

PASSÉ SIMPLE	PASSÉ ANTÉRIEUR
je voulus	j'eus voulu
tu voulus	tu eus voulu
il voulut	il eut voulu
nous voulûmes	nous eûmes voulu
vous voulûtes	vous eûtes voulu
ils voulurent	ils eurent voulu

FUTUR SIMPLE	FUTUR ANTÉRIEUR
je voudrai	j'aurai voulu
tu voudras	tu auras voulu
il voudra	il aura voulu
nous voudrons	nous aurons voulu
vous voudrez	vous aurez voulu
ils voudront	ils auront voulu

CONDITIONNEL

PRÉSENT	PASSÉ
je voudrais	j'aurais voulu
tu voudrais	tu aurais voulu
il voudrait	il aurait voulu
nous voudrions	nous aurions voulu
vous voudriez	vous auriez voulu
ils voudraient	ils auraient voulu

IMPÉRATIF

PRÉSENT
veux / veuille
voulons
voulez / veuillez

INFINITIF

PRÉSENT	PASSÉ
vouloir	ayant voulu

PARTICIPE

PRÉSENT	PASSÉ
voulant	voulu(es)

Achevé d'imprimer en Italie par L.E.G.O. S.p.A. Lavis (TN) - Dépôt légal : 98940 - 7/07 - Juin 2019